STIRLING UNIVERSITY LIBRARY
BOOK NUMBER
VOL COPY
13006311
D0229547

Otoño indio

Colección Autores Españoles
e Hispanoamericanos

Alfonso Grosso

Otoño indio

Los crímenes de la residencia Mayflower

Novela

Planeta

COLECCIÓN AUTORES ESPAÑOLES
E HISPANOAMERICANOS

Editorial Planeta, S. A., Córcega, 273-277, Barcelona-8 (España)

Diseño colección, sobrecubierta y foto de Hans Romberg (realización de Jordi Royo)

Primera edición: noviembre de 1983

Depósito legal: B. 36044 - 1983

ISBN 84-320-5562-X

Printed in Spain - Impreso en España

«Duplex, S. A.», Ciudad de la Asunción, 26-D, Barcelona-30

Para Anna Mereditht, Hualing Nieh, Paul Engle, Jorge Mariscal, René de Costa, Helena Percas, Ignacio Ponsetti, Joshe Szerties y Tom Middleton.

Aunque el noventa por ciento de los personajes de *Otoño indio* son reales, así como la toponimia y las anécdotas que configuran el relato, su argumento es sin embargo pura ficción.

Tierras del sioux, de las solitarias llanuras, del silencio. ¿Se elevará acaso algún día por ti un fúnebre lamento?

WALT WHITMAN

UNO

EL *FANTASMA* DEL MAYFLOWER

LA MADRUGADA que intentaron asesinar a Ersi Sotiropoulou en su apartamento de la residencia Mayflower me encontraba ausente de Iowa City por lo que, en un principio, fui descartado como sospechoso, lo que no me evitó, sin embargo, ser interrogado por el sheriff e inexplicablemente, dos días más tarde, por un agente del FBI llegado expresamente de Omaha, ciudad del fronterizo Estado de Nebraska.

—Según ha declarado al sheriff, y ya hemos realizado la verificación, la noche de autos se encontraba usted en el Grinnell College, hospedado en la antigua residencia del rector transformada en hotel —me dijo el agente federal en el vestíbulo del Antiguo Capitol, donde había sido citado.

—Efectivamente.

—Lo cual no significa que, disponiendo usted como dispone de automóvil, pudiera haber cubierto las ochenta y cuatro millas que lo separaban del Mayflower en hora y media y regresar para amanecer en Grinnell. Excelente coartada. Pienso, por tanto, que es usted tan sospechoso como los otros participantes del Programa Internacional que también disponen de apartamentos en el séptimo piso de la residencia universitaria. Descarto, pues, sólo al resto del curso que realizaba una excursión en barco por el Mississippi. Dígame. ¿Por qué fue al Grinnell College precisamente aquel día? Por lo visto había estado usted allí ya hace un par de semanas para *dictar* una conferencia, pero ahora ¿qué nueva razón tenía para desplazarse al campus?

—No tengo que darle ninguna explicación al respecto. Nadie puede impedir mi libertad de movimiento.

—En efecto. No obstante, y usted lo comprende, en un caso tan especial como el que nos ocupa, le ruego me explique las razones de su estancia en el Grinnell College aquella noche.

—Tengo amigos y fui a visitarlos.

—Eso es algo que ya hemos comprobado, pero que no basta para justificar su permanencia, dado, según sus propios amigos, lo inesperado de su aparición sin haber concertado previamente una cita. Todos estaban ocupados en sus clases y usted se limitó a saludarlos en los corredores o incluso en las aulas.

—Es cierto.

—Entonces ¿cómo se le ocurrió permanecer cuarenta y ocho horas en un lugar tan aburrido?

—¿Es usted aficionado al cine?

—¿A qué viene esa pregunta?

—Contésteme, si es tan amable.

—Lo soy.

—¿Piensa acaso como yo que Gary Cooper fue uno de los más fabulosos actores del cine americano.

—Sin duda.

—¿Sabía que estudió tres años en el Grinnell College?

—Lo ignoraba. Sabía, sí, que John Wayne nació en este Estado, concretamente en Winterset.

—Tras haberme enterado durante mi primera estancia, volví allí precisamente en busca de sus *huellas* para informarme sobre sus días de vida *universitaria*. Los alumnos del Grinnell aún mantienen viva la leyenda de la mañana que el actor llegó a Rawson Tower y subió a caballo la escalera de la residencia.

—*Okay* —me contestó el agente del FBI—. Cada día se aprende algo nuevo. No obstante —prosiguió—, toda esa historia, ciertamente muy interesante, nada tiene que ver con el asunto que nos ocupa. Como le decía, pudo usted haber venido aquella noche a Iowa City y regresar a Grinnell, por lo que me veo obligado a incluirlo en la lista de sospechosos; diría que incluso en mayor medida que el resto de sus colegas por cuanto, según Ersi Sotiropoulou, quien intentó asesinarla iba disfrazado de indio sioux.

—Corre otra versión en la que, al parecer, ella asegura que el disfraz era de cherokee.

—Dejémoslo simplemente en indio. Y el caso es que, dada su admiración por Gary Cooper como protagonista de tantos western, no me extrañaría que hubiera sido usted el que se disfrazara.

—Mi admiración por Gary Cooper —le contesté— viene dada por su interpretación en un film que nada tiene que ver con el Oeste. Me refiero a *Tres lanceros bengalíes*. De modo que para disfrazarme de algo lo hubiera hecho del capitán inglés Mc Gregor.

—Sea como fuere, el caso es que, como sus otros doce compañeros del Programa Internacional, queda usted confinado en los límites de la ciudad mientras dure la investigación.

Aunque, en efecto, Gary Cooper había sido alumno

del Grinnell College, la anécdota carecía para mí del menor interés, y los motivos que me impulsaron a volver a Grinnell fueron, naturalmente, otros. La antigua casa del rector, transformada en hotel para hospedar a profesores invitados y a los padres de los alumnos que, a lo largo del curso, iban a visitar a sus hijos, no era por supuesto el lugar más indicado para concertar una cita galante. Sin embargo, fue allí donde pasé la noche con Clara Carey, a quien conocí en mi primera estancia.

El antiguo rectorado —una casita pintada de blanco con cenefas celestes, que se conserva como había sido construida y amueblada ciento quince años atrás— había logrado fascinarme. Todo en ella es auténtico; desde el cuadro al óleo del fundador del College, Josiah Grinnell, ministro de la Iglesia congregacionista, expulsado de Washington D.F. por predicar contra la esclavitud, a los espejos, las arañas, las sillerías, los dos pianos de cola, los candelabros, las cerámicas alemanas o inglesas, e incluso los pañitos irlandeses de crochet.

Clara Carey era, pues, la única persona que podía testimoniar no haberme movido del campus del Grinnell aquella madrugada; pero, por razones obvias, me veía obligado a seguir formando parte de la lista de sospechosos y no insinuar nada al respecto. ¿No asegura ser tan inteligente y estar tan bien informado el FBI? Pues bien, que lo averiguara; aunque Clara había entrado subrepticiamente en el hotel —que conocía perfectamente como antigua alumna que era— y abandonó mi habitación para salir por la misma puerta de servicio por donde entrara. Su automóvil —me dijo antes de marcharse y mientras hacíamos por última vez el amor— lo había dejado aparcado a dos cuadras, en la puerta de la funeraria, lugar ideal, según ella, y algo para mí incomprensible.

Es preciso añadir que Clara estaba casada con Robert Carey, un maderero de Newton, y que aquella noche su marido se encontraba en Des Moines, la capital del Estado, a donde había marchado a primera hora de la tarde para firmar un contrato mercantil y regresar al día siguiente. ¡Precisamente en Des Moines! Una ciudad llena para mí de recientes fúnebres recuerdos. Su sola mención me había hecho entrar en un estado de depresión, ya que quince días atrás, la víspera de mi vuelo a Chicago para asistir a una conferencia sobre la vida de Allan Pinkerton, el pionero de los detectives norteamericanos, en The Joseph Regenstein, había pasado catorce horas en Des Moines para visitar el museo de Arte Moderno y ser recibido, al atardecer, en su casa por Anna Meredith, que ofreció un *lunch* —como era habitual todos los años— a los participantes del Programa Internacional.

A los pocos minutos de ser presentados por el poeta Paul Engle, fundador junto a Hualing Nieh del curso, entre Anna y yo saltó una chispa de afinidad electiva; de tal manera que durante dos horas permanecimos conversando en un banco de la terraza del jardín, permitiéndose —pese a tenerlo prohibido— tomar un par de *gins* para alternar con mis whiskis. A mi regreso de Chicago, cuatro días más tarde, supe consternado que quince minutos después de que los componentes del Programa abandonáramos su suntuosa mansión de Lake Easter Park, llena de grabados de Miró y de Picasso, de lienzos de impresionistas franceses y de estatuillas de Moore, de Giacometti y de Jean Arp, la dulce Anna había fallecido víctima de un infarto; muerte que posiblemente no se hubiera producido de no permitirse, por gentileza, acompañarme en mi desaforada afición por el alcohol.

* * *

La griega Ersi Sotiropoulou era una muchacha escuálida, de corta estatura, a punto de cumplir los treinta años, licenciada en antropología por Florencia. Sus facciones, marcadamente turcas, y su extravagante manera de vestir —zapatos de tacones altos, medias de colores chillones, minifaldas y jerséis tejidos a mano donde estaban representados todos los colores del iris— contrastaban con el habitual vestuario universitario de suéteres y vaqueros, zapatos de deporte y total ausencia de maquillaje.

Mis relaciones con Ersi —fuera de la agenda de trabajo del Programa— no pasaban de saludarnos cortésmente cuando nos encontrábamos en la bolera, en el bar del Iowa Memorial Union, o en el cine-club para asistir a la proyección de algunos filmes más o menos literarios: *Tener o no tener* de Humphrey Bogart y Lauren Bacall, *El gran Amberson* de Orson Welles y *Violette* de Claude Chabrol.

No obstante la mutua frialdad de nuestro trato, tenía por ella cierta simpatía, aunque no naturalmente en la medida de afecto que sintiera por la poetisa polaca Joanna Salomon y por la novelista noruega Børjg Vik, ambas llenas de seducción, elegancia y femineidad.

A lo largo del interrogatorio a que fuera sometida por el sheriff cinco horas más tarde de haber estado a punto de ser asesinada con un puñal indio, Ersi Sotiropoulou explicó que no hubo ningún intento previo ni de robo ni de violación como se estimaba en un principio, y que el desconocido, disfrazado de cherokee, envuelto en una gran manta de lana roja con dibujos romboidales, que entró en su apartamento utilizando una ganzúa, tenía sólo y exclusivamente la intención de asesinarla; lo que ella pudo evitar milagrosamente entrando en el cuarto de baño compartido y echando el cerrojo cuya puerta, dado su espesor, no lograra echar abajo el asesino; permaneciendo encerrada hasta el amanecer, cuando fue a entrar en él su *vecina* la narradora hindú Kabita Sinha, otra exótica excepción femenina invariablemente ataviada con velos, túnicas, echarpes y sandalias.

Cuartos de baño compartidos, como compartidas se encuentran las cocinas, situados ambos en la zona *neutra* que separa cada dos minúsculos apartamentos idénticos en sus estructuras, con puertas interiores comunicantes a voluntad. Afortunadamente, no era este mi caso ya que mi *vecino* el poeta japonés Gozo Yoshimasu marchó a pasar el otoño en San Francisco, y nadie —aunque naturalmente dada su exquisitez él no lo hubiera hecho— perturbaba mi intimidad.

Tras haber recibido un telegrama de la universidad de Chicago invitándome a una recepción ofrecida por el profesor De Costa en el Quadrangle Club, fui a visitar al sheriff para solicitar su permiso y poder ausentarme de Iowa City.

—¿Dónde piensa ir? —me preguntó.

—A Chicago.

—¿Puede saberse a qué?

Me limité a mostrarle el telegrama.

—*Okay* —me respondió tras echarle un vistazo—, no se preocupe. Puede salir de la ciudad cada vez que lo desee. Acabo de recibir un télex del FBI en el que se me comunica que acaba de ser usted tachado de la lista de sospechosos. Al parecer, han comprobado que, en efecto, aquella madrugada no se movió usted del campus del Grinnell College. Lo que no le va a librar, sin embargo, de haberse complicado la vida en otro problema, ciertamente menos grave, pero problema al fin. Ya me entiende, ¿no?

—No sé a qué se refiere.

—Naturalmente que lo sabe. Me parece completamente fuera de lugar su actitud. Sabemos que pasó usted la noche con Clara Carey.

—No conozco a ninguna Clara Carey.

—Entonces no puedo autorizarle a ir a Chicago.

—De acuerdo. Qué le vamos a hacer.

—No sea niño. Su actitud me parece absurda.

—Cada cual es como es, ¿no?

—En fin, dejemos ese tema. Es algo que no nos incumbe. Pero es probable que tenga que enfrentarse con el marido; aunque, no se preocupe, la sangre no llegará al río. Existen sobrados antecedentes. Puede usted, pues, sacar el billete de avión para Chicago. En cuanto recibí el télex telefoneé a las agencias de viaje y al aeropuerto de Cedar Rapids para que lo borraran de la lista en la que lo habían incluido.

—¿Y si hubiera realizado el viaje en auto?

—Habría abandonado la ciudad, pero no el Estado, en cuanto la matrícula de su coche la tenían todos los patrulleros, así como su fotografía.

—¿Y en autobús? ¿Qué me dice del autobús y del autoestop?

—Es algo que teníamos también previsto. Le deseo buen viaje. ¡Ah!, me olvidaba decirle que me ha llegado una información en la que se me comunica que, con independencia de su profesión de antropólogo, es usted detective amateur y que su *hobby* es la criminología.

No creo, sin embargo, que sea usted capaz de adelantársenos en la investigación del caso de Ersi Sotiropoulou, algo que no le concierne. También sabemos que el tema de la conferencia que dio en el Grinnell College estaba basado en la vida y milagros del delincuente habitual y, paradójicamente, más tarde, jefe de la policía francesa durante el período de la Restauración François-se Eugène Vidocq.

* * *

Tras asistir aquella noche a la lectura de sus últimos poemas en el Jessup Hall, mientras deambulábamos los dos ya de madrugada por el centro después de habernos bebido cada uno un par de litros de cerveza en el único bar abierto de Jefferson Street, el poeta Cid Corman —que fuera también interrogado por el FBI— me dijo que era inaudito e inexplicable que el FBI estuviera interviniendo en algo que no era en absoluto de su incumbencia.

—Lo suponía —le respondí—, pero como extranjero no puedo entrar en el problema.

—Tampoco yo he querido hacerlo a pesar de ser norteamericano. Al parecer, el asunto de Ersi es mucho más complejo de lo que podemos imaginar. Y la orden ha venido, por lo visto, de Washington, lo único que justifica la intromisión de un agente federal en algo de lo que debiera ocuparse sólo el sheriff o, en última instancia, el fiscal del condado y, por supuesto, la policía del Estado.

—¿No puede entonces intervenir legalmente el FBI en un intento de homicidio?

—No es asunto de su competencia al no tratarse de un delito federal.

A continuación y mientras caminábamos, alta la luna, recién apagada la cúpula del Antiguo Capitol, Cid Corman me hizo un resumen de la contradictoria historia del FBI desde su fundación a nuestros días, algo que por otro lado yo, naturalmente, conocía. Todo un discurso que me vi obligado a escuchar por cortesía:

—La actual situación del FBI es absolutamente absurda —comenzó explicándome—. Hace exactamente diez años empezó a desencadenarse en Washington una campaña contra J. Edgar Hoover que, por fin, fue jubilado, ¡a los setenta y seis años! Se le acusaba, con razón, de haber transformado el país en una dictadura policiaca y de utilizar su poder no ya en la lucha contra el crimen sino contra la libertad. Alcanzó la jefatura en 1924, dieciséis años más tarde de ser fundado por Charles J. Bonaparte, fiscal general y ministro de Justicia. Desde la jubilación de Hoover aunque las cosas, en parte, hayan cambiado, los agentes federales como la mayoría de las fuerzas de seguridad del mundo son puros burócratas, y por cada hora que pasan realizando prácticas de tiro, son centenares de ellas las que cubren llenos de legajos las mesas de sus despachos. Los europeos os quejáis del volumen de papeles que emplea vuestra administración. Pues bien, mientras el viejo mundo utiliza cuatro copias de cada informe, en Estados Unidos se exigen ocho, como mínimo. Y para la carrera de un agente del FBI es más importante ser un buen mecanógrafo y un especialista en computadoras que investigador y tirador de primera. Algo muy particular debe ocurrir, por tanto, en el caso de Ersi, ya que no es frecuente que los hombres del FBI se lancen como sabuesos tras las pistas si no se trata de delitos federales. Si alguien, por ejemplo, roba un caballo o un cerdo en Iowa City el asunto es de la exclusiva competencia del sheriff local; pero si el ladrón se lleva el animal a Nebraska, habrá cometido un robo federal y se desencadenarían contra él todas las furias. Algo, por tanto, muy singular ha debido de ocurrir ya que en estos momentos precisamente el FBI pasa por una etapa de transición. ¿Recuerdas que en la década de los cincuenta Hoover puso al FBI al servicio del senador MacCarthy para iniciar la «caza de brujas»?

—Sí, pero ni el difunto Hoover ni el difunto MacCarthy tienen que ver nada ya en esta historia.

—¡Nunca se sabe!

—¿Cómo que nunca se sabe?

—Quizá Ersi puede pertenecer a determinados servicios secretos extranjeros.

—Yo diría, en tal caso, que a la CIA. ¿No? —le respondí en tono de broma; pero que Cid Corman no supo interpretarla como tal.

—¿A la CIA? No, no, eso no es posible.

—Sea como fuere —le contesté para poner punto final a tan absurda conversación—, por lo que debían interesarse tanto el sheriff como la policía federal no es por lo que ya haya sucedido sino por lo que a Ersi le pueda volver a ocurrir.

—En efecto —me respondió Cid Corman—, debían ofrecerle, al menos, protección.

* * *

Mi segunda estancia en Chicago estuvo llena de problemas y dificultades. Al coincidir con la fiesta de la vendimia alemana, algunos barrios germánicos de la ciudad se encontraban engalanados con banderas con la cruz gamada y, aunque no autorizada, la misma mañana de mi llegada tuvo lugar una concentración nazi en la avenida Michigan cuya participación, según los datos facilitados por la policía, alcanzó la cifra de siete mil manifestantes, la mitad de los cuales vestían camisas pardas y brazaletes del partido nacionalsocialista norteamericano.

La intención de los comités de vecinos del *ghetto* de color y de los barrios periféricos habitados por negros, chicanos y portorriqueños fue organizar una contramanifestación que no llegó siquiera a celebrarse dadas las medidas preventivas tomadas por la policía en los aledaños de Jackson Park, donde había sido convocada.

No obstante mi actitud de rechazo hacia el nazismo, que no minimiza mis simpatías por Alemania, tras la recepción ofrecida por René de Costa en el Quadrangle Club, en cuya residencia para profesores me alojaba, y de haber continuado tomando algunas copas más en su casa, a las doce de la noche decidí acompañar a una invitada nicaragüense, de origen germánico, Rosa Udet, al Foster Hall, donde celebraban los universitarios la conmemoración de la vendimia alemana sin ninguna intencionalidad política, lo que no impidió sin embargo que se produjeran algunos incidentes tras la insistencia de la orquesta en *Lily Marlen* entre pieza y pieza, primero de folklore de distintos *land* alemanes, más tarde de valses y polcas y, finalmente, de rock; por lo que la fiesta en la que posiblemente se consumieran dos mil litros de cerveza, a pesar de no sobrepasar de quinientos los asistentes, acabó siendo clausurada por los patrulleros de la policía que hicieron su aparición sobre las dos de la madrugada, pese a estar previsto que el baile se prolongaría hasta el amanecer.

Ante una situación tan inesperada, Rosa Udet me invitó a pasar el resto de la noche en su casa, un pequeño apartamento ubicado en el barrio residencial de

Evanston, al norte de la ciudad; ajardinada y silenciosa zona donde llegamos muy cerca de las cuatro en su automóvil Toyota.

Como ambos continuamos bebiendo y escuchando música sudamericana hasta que las primeras luces del alba incendiaron los cristales de las dos ventanas de guillotina del salón, momento en el que pasamos, por fin, a su alcoba, no puede decirse que nuestra relación íntima alcanzase niveles ni de pasión ni de entusiasmo, y, a pesar de la evidente atracción que sentíamos, terminamos por quedarnos dormidos abrazados.

Dejándola inmersa en un profundo sueño del que no quise despertarla, sobre las doce del mediodía abandoné el apartamento tras garabatearle una nota de despedida. Providencialmente, al tratarse de un sábado, logré coger un taxi a la altura de la calle Mayor del distrito, y, tras dar las señas del Quadrangle Club al chófer, un griego pésimo conocedor de la ciudad, me quedé prácticamente dormido. Cuando me desperté, avisado de que habíamos llegado, mi asombro y mi sorpresa alcanzaron los límites mismos del terror. Nos encontrábamos en pleno corazón del *ghetto* negro —lugar donde no se atreve a entrar ni la misma policía de color—, exactamente a la altura del número cincuenta y siete, de la calle mil ciento cincuenta y cinco, Oeste; señas que, debido a la resaca, había dado al taxista, en cuanto mi residencia se correspondía a la misma calle y al mismo número pero en el campus universitario situado al este de la ciudad y separado del *ghetto* por la autopista Roosevelt.

—¡Pero éste no es el sitio! ¿Dónde me ha traído? —pregunté al taxista.

—¡Donde me dijo!

—¿Cómo?

—Me extrañó que a un blanco se le ocurriera venir aquí, y estuve a punto de negarme. Naturalmente, pensé que me daría una buena propina porque los hijos de perra de la compañía de taxis Yellow me pagan una miseria. Es la primera vez que entro en el *ghetto*. ¡Y precisamente en un día como hoy, tras los disturbios raciales de ayer por culpa de esos cabrones de *alemanes*! ¿Qué hacemos?

—Largarnos. ¿Qué pretende que hagamos?

—El caso es que no sé cómo salir de aquí...

—¿Que no sabe?

—Ni idea.

—Entonces, ¿cómo logró entrar?

Cuando la discusión alcanzó su punto álgido, mezclando yo en ella junto a las insultantes frases inglesas exclamaciones en español, el taxi fue rodeado de vecinos del barrio que reían, y de niños que, tras abandonar el juego de pelota para convertirse también en silenciosos espectadores, agitaban alrededor del coche sus palos de *base-ball*. Pese a las circunstancias, decidí salir del auto y preguntar a un anciano sentado en la veranda de su pobre casita de madera, cartón, papel de estaño y brea, qué podíamos hacer. Alguien me tocó en aquel momento en la espalda para interrogarme en castellano. Se trataba de un mulato, al filo de los cuarenta años:

—Hermano, ¿qué te pasa?

—¡Dios bendito! Eres portorriqueño, ¿no?

—Pues clarito, m'hijo, ¿qué podía ser? Mi abuelo era asturiano. ¿Cómo estás tan nervioso?

—Perdona, estaba aterrorizado.

—Aquí no pasa nunca ná, ¿me oíste? Y menos a un hispano. Supongo que no sabéis cómo salir, ¿no? Nelson Sotomayor —se presentó tras tenderme la mano.

Luego, sin comentarios, me indicó que subiera al taxi, se sentó a mi lado, dijo al chófer que pusiera el motor en marcha y fue, a continuación, indicándole la dirección para alcanzar el túnel bajo la autopista y llegar al Este. Una vez en el campus y, minutos más tarde, ya en la puerta del Quadrangle Club, pedí al taxista que volviera a llevar a Nelson Sotomayor —al que abracé y di las gracias— al *ghetto* tras abonarle la carrera, más un suplemento para la siguiente de veinte dólares.

—¿Sólo veinte, señor? —me preguntó airado.

—¿Es que te parece poco, cochinático? —le gritó Nelson—. ¡Justo tres veces más de lo que el Gobierno paga a los desempleados al día, cuando lo hace!

* * *

Mi regreso de Chicago a primera hora de la mañana del día siguiente coincidió con la celebración del Yom Kippur hebreo —fecha no lectiva en la universidad y de asueto para los componentes del Programa Internacional—, por lo que decidí desplazarme a Sioux City y al Sanfod Museum en el territorio de los cherokee para confrontar las posibles diferencias existentes entre los dibujos y símbolos religiosos y folklóricos de unos y otros en lo que afectaba al caso Ersi y, por supuesto, para conocer directamente ambas culturas. Finalmente, como la distancia que me separaba de la ciudad fronteriza y del *territorio* indio era de casi trescientas millas, opté por pasar el día en Kalona, la colonia alemana situada a veinticinco kilómetros de Iowa City para conocer sus granjas, su antigua estación de ferrocarril, sus museos, sus viejas escuelas, su iglesia Mennonite y todo el nostálgico encanto del Medio Oeste del que tanto había oído hablar desde mi llegada.

Así pues, pasado el mediodía y tras haber almorzado en Coralville, tomé una de las estrechas y poco transitadas carreteras hacia el sur, situada a la izquierda de la autopista de Des Moines y, un cuarto de hora más tarde, me encontraba en la colonia donde aún, desde los ancianos a los niños, mantienen la tradición del vestuario del primer cuarto de siglo XIX.

Tras visitar todos sus monumentos, me dirigí al bazar para adquirir alguna ropa interior de abrigo artesanal, las célebres camisetas-calzoncillos de una sola pieza ya que la temperatura había comenzado a descender por las noches casi quince grados y pronto la nieve comenzaría a cubrir la inmensa pradera del Estado hasta los primeros días de abril.

Tras realizar las compras y a punto ya de abandonar el bazar, mi sorpresa alcanzó los niveles del asombro. En el interior de uno de los escaparates colgaba una manta de lana roja con dibujos romboidales idéntica a la descrita al sheriff y al agente del FBI por Ersi Sotiropoulou como sioux o cherokee; siendo precisamente, como era, una típica manta, reproducción —según me explicaron— de un antiguo edredón de cama alemán.

DOS

UN GATO DE PORCELANA

SOBRE LAS ONCE DE LA NOCHE y tras el recital ofrecido por la soprano de color Leontyne Price en el Hancher Auditorium, al cual asistimos todos los componentes del Programa Internacional, incluyendo a Paul Engle y a Hualing Nieh, consultor y directora respectivamente del curso, sólo Mohamed Hani Kamal, el poeta egipcio, y Gyorgy Skourtis, el guionista cinematográfico griego, aceptaron acompañarme al centro de la ciudad para cenar y tomar luego unos whiskis en la barra del bar Mickey antes de regresar al Mayflower.

Aunque había descendido la temperatura casi diez grados en los últimos días, la noche era tibia, cantaban aún los grillos en la floresta y croaban dulcemente las ranas en los ribazos del río donde las ánades migratorias acamparan para proseguir su vuelo hacia el Sur al amanecer del día siguiente. Pese a que a lo largo de la ligerísima cena, la velada transcurrió alegremente gracias a las dos botellas del espléndido vino del Estado de Nueva York que consumimos entre los tres, a las doce y media decidimos renunciar a la proyectada ronda de whiskis ya que a primera hora de la mañana —algo que habíamos olvidado— estábamos obligados a asistir a una lectura en el Regina High School, que formaba parte obligada del Programa.

Durante la mañana de aquel mismo día —lectivo, pero de medio asueto ya que tras la lectura a las once habíamos regresado de la visita al St. Josep Cemetery para depositar una corona de flores en la tumba de un compañero del Programa muerto en accidente de automóvil cinco años atrás— se me había ocurrido conseguir algunos datos biográficos en la computadora central de la Biblioteca Universitaria, de los trece participantes del Programa sospechosos del intento de asesinato de Ersi Sotiropoulou incluyéndome a mí mismo. Una vez leídos en la pantalla de TV solicité sus fotocopias. Poco pude añadir, sin embargo, a lo que ya sabía de cada uno de ellos:

«Narciso Arteleche: Poeta, nacionalidad, uruguaya, edad, treinta y seis años; altura, un metro cincuenta y seis; estado civil, soltero. Cabellos, negros; ojos, negros; religión, católica; libros publicados, uno.» Y, al parecer, según otros informes, ¡de milagro!

«Mohamed Hani Kamal El kadi: Poeta, nacionalidad, egipcia, director cinematográfico, edad, cuarenta y seis años; altura, un metro setenta y seis; ojos, negros; cabellos, negros. Libros publicados, cinco: Premio Nacional de Literatura 1979. Religión, islámica.»

«Regina Zoffe: Redactora de publicidad; edad, treinta y tres años; altura, un metro cincuenta y siete. Libros publicados, uno. Estado civil, divorciada. Religión, agnóstica. Cabellos, castaños; ojos, negros. Nacionalidad, argentina.»

«Anton Shamas: Poeta-traductor. Nacionalidad, israelita. Edad, treinta y tres años. Altura, un metro setenta y cuatro. Cabellos, castaños; ojos, negros. Estado civil, soltero. Religión, católica. Libros publicados, ninguno.»

«Joanna Salomon: Poetisa. Nacionalidad, polaca; edad, cuarenta y tres años. Altura, un metro setenta y cuatro. Doctora en medicina; especializada en el aparato respiratorio. Estado civil, casada. Color de los cabellos, castaños; color de los ojos, castaños. Religión, católica. Libros publicados, tres.»

«Børjg Vik: Novelista. Nacionalidad, noruega. Edad, cuarenta y cuatro años; altura, un metro setenta y cuatro; cabellos, castaños claros; ojos, azul prusia; religión, luterana; libros publicados, tres. Estado civil, casada.»

«Baharauddin Zainal: Poeta; nacionalidad, malaya. Altura, un metro sesenta y tres; cabellos, negros; ojos, negros. Religión, budista. Libros publicados, ninguno. Estado civil, soltero.»

«Melania Schoech: Filipina; edad, treinta y cuatro años; altura, un metro cincuenta y nueve; ojos, negros; cabellos, negros; religión, budista; libros publicados, ninguno. Estado civil, divorciada.»

«Cid Corman: Poeta, traductor, editor; edad, cincuenta y seis años; nacionalidad, norteamericana; altura, un metro setenta y cuatro; religión, anabaptista; cabellos, castaño claro; ojos, grises. Libros publicados, seis. Traducido al italiano y al japonés. Estado civil, casado.»

«Desmond Hogan: Novelista; nacionalidad, irlandesa; edad, treinta y dos años; cabellos, rubio ceniza; ojos, azules claros; altura, un metro setenta y siete. Religión, católica; libros publicados, dos.»

«Axel Schulze: Poeta; nacionalidad, alemana, del Este; altura, un metro setenta y uno. Edad, cincuenta y cinco años; profesor de literatura de la universidad de

Leipzig; cabellos, rubios ceniza; ojos, azules; libros publicados, ninguno. Religión, agnóstico.»

«Kabita Sinha: Poetisa, bailarina clásica oriental. Nacionalidad, hindú; altura, un metro cincuenta y nueve; cabellos, negros; ojos, negros; religión, budista; libros publicados, uno. Estado civil, soltera.»

«Sipho Sepamla: Poeta, novelista. Nacionalidad, sudafricana. Altura, un metro setenta y ocho; ojos, negros, cabellos, negros, edad, treinta y cuatro años. Libros publicados, cuatro. Religión, anglicana. Raza: negra.»

Con respecto a los datos que sobre mí mismo me facilitara la computadora, puedo decir que, en buena parte, eran falsos. Ni tengo cuarenta y tres años, ni mido un metro noventa, ni soy agnóstico, ni tengo el pelo negro ala de cuervo y los ojos verdes; ni obtuve la licenciatura de antropología en la universidad de Upsala, ni estoy divorciado.

Como no había utilizado aquel día el coche —un Oldsmobile de la General Motors, modelo setenta y tres—, encontrándonos ya fuera del horario de los autobuses y ante la imposibilidad de conseguir un taxi, tras solicitarlo reiteradamente, como es preceptivo, por teléfono, decidimos regresar al Mayflower, distante milla y media del centro, caminando.

Cuando a la una y media llegamos escalofriados, pese a la velocidad que imprimimos a nuestros pasos, a la residencia, tres coches patrulleros de la policía, haciendo girar sus faros de balización, se encontraban aparcados ante la escalinata, y dos agentes —con sus ajustados uniformes negros y sus también negros sombreros, de alas anchas y rectas sin apenas curvatura— vigilaban el edificio.

—Perdonen, tienen prohibida la entrada —nos dijeron.

—¡Cómo! —se exaltó Mohamed Hani—. Somos residentes.

—Ha sido cometido un asesinato en el último piso, y el sheriff ha prohibido no sólo las salidas, ya que ha despertado a todo el personal para iniciar un primer interrogatorio, sino las entradas; de manera que les recomiendo pasen la noche en un motel. Sólo puedo autorizarles a solicitar, desde la cabina del vestíbulo, un taxi por teléfono.

* * *

La filipina Melania Schoech había sido encontrada, con un cuchillo de cocina clavado en mitad de la espalda, por Joanna Salomon, en el corredor del séptimo piso, a la altura de la puerta del apartamento de Gyorgy Skourtis, a donde probablemente se dirigía para pasar la noche con él como, al parecer, era habitual, sin sospechar que al abandonar el Hancher Auditorium el guionista cinematográfico griego se había quedado a cenar en el centro de la ciudad.

De Gyorgy Skourtis —no incluido en la lista de sospechosos del intento de asesinato de Ersi Sotiropoulou, en cuanto aquella noche se encontraba de gira fluvial por el Mississippi— no me hubiera sido por otro lado necesario, de ser preciso, obtener de él ningún dato utilizando la computadora central. Excepcionalmente, al igual que Hani, amigo personal de Anwar al-Sadat, que sería asesinado en atentado dos días más tarde. Gyorgy me había contado algunos episodios de su un tanto pintoresca vida: vecino de Atenas, guionista, adaptador de la comedia musical *Lisístrata*, de cuarenta y tres años, divorciado y con tres hijos, el mismo día de la llegada a Iowa City de Melania Schoech y tras ser presentados por Hani —que coincidiera con ella casualmente en el aeropuerto de Cedar Rapids y almorzaran los tres en el restaurante mexicano La Botella Marrón— se fueron a dormir la siesta juntos, tras haber dado previamente el esquinazo a Hani después de dejarlo abandonado a su suerte alcohólica en la barra del bar Mickey.

El descubrimiento del cadáver de Melania Schoech —que presumía de germánica pese a sus rasgos, mezcla de negra hindú y china— ocurrió exactamente a las doce menos cuarto y fue hecho por Joanna Salomon cuando la poetisa polaca —empedernida fumadora, pese a ser especialista en las vías respiratorias— comprobó que se había quedado sin cigarrillos y decidió bajar al vestíbulo para sacar una cajetilla de la máquina automática.

Tras los interrogatorios a que fueran sometidos todos los residentes del Mayflower, el sheriff decidió no añadir ningún nombre a la lista de sospechosos del llamado caso Ersi —transformado automáticamente en caso Melania—, algo en lo que estaba completamente de acuerdo, ya que sólo la muerte transforma a los mediocres en protagonistas, aunque sea por unos días o unas horas.

Sobre las doce del mediodía la residencia volvió a recuperar su pulso perdido, tras las rutinarias tomas de huellas, fotografías de determinados ángulos del piso séptimo y recogida de minúsculos fragmentos de vidrio, trozos de celofán y de papeles dejados caer al suelo; así como de la totalidad del contenido de los ceniceros situados en el corredor.

El cadáver de Melania Schoech había sido trasladado, para su autopsia, a las cuatro de la madrugada al Hospital General y, a primera hora de la mañana, depositado en la capilla ardiente de la funeraria universitaria. Su entierro, en el Oakland Cemetery, de Roland Street, había sido ya anunciado por la radio, la prensa y la cadena de televisión local para la tarde del día siguiente.

A las tres y media, cuatro horas más tarde de mi regreso al Mayflower desde la residencia Stanley —donde había pasado la noche al igual que lo hicieran Hani y Skourtis, levemente deprimido el primero y psíquicamente destrozado el segundo por el asesinato de su ex amante, nos explicó, que sus relaciones habían terminado una semana atrás, aunque ella pretendiera seguir manteniéndolas—, sonó el teléfono de mi apartamento. El agente del FBI que acababa de llegar de nuevo de Omaha, se encontraba al otro lado del hilo:

—Gentile. Necesito hablar con usted.

—Supongo que estará al corriente de que cuando fue asesinada Melania, me encontraba en el centro, concretamente en el Best Steak House, cenando con Mohamed Hani Kamal y Gyorgy Skourtis —le contesté.

—Naturalmente que lo estoy. No se trata de eso. Le ruego, si es tan amable, que concertemos una cita en el vestíbulo del Antiguo Capitol.

—¿Otra vez en el viejo Capitolio?

—Está bien; no se enfade. En cualquier otro sitio.

—Suelo frecuentar, por las tardes, el bar Mickey, ya conoce mi debilidad por el alcohol.

—No, por Dios, en el Mickey no. Prefiero que no nos vean juntos por el centro. ¿No le importaría acudir de aquí a un par de horas al bar del Iowa Memorial Union? Allí no sirven por lo visto licores...

—En efecto.

—... Pero puede usted beber cerveza o vino californiano. ¿De acuerdo?

—De acuerdo.
—Le espero, pues, allí, a las cinco y media.

* * *

Cuando llegué al Memorial Union cinco minutos más tarde de lo previsto por culpa de la maldita lentitud del tráfico, ante la prohibición de circular por la ciudad a más de veinte kilómetros por hora, y de soportar pacientemente la luz roja de los semáforos, memorizados para el buen paso de los peatones —incluyendo las ardillas— y no de los automóviles, el agente federal se encontraba sentado a una mesa en penumbra del bar ante dos vasos vacíos y una jarra italiana llena de vino rossé.

—Me alegra mucho verle de nuevo —dijo levantándose y estrechándome calurosamente la mano antes de invitarme a sentarme frente a él y escanciar el vino sobre los respectivos vasos—. Perdone la molestia —continuó—. Y muchas gracias por haber aceptado acudir a la cita.

—No tiene por qué dármelas.

—Bien. ¿Qué piensa usted del crimen?

Guardé silencio durante unos segundos, luego contesté:

—La verdad es que aún no pienso nada.

—¿No sospecha de nadie?

—No, sin embargo quiero hacer una aclaración que estimo muy importante sobre algo de lo que usted, sin embargo, está ya posiblemente al corriente.

—Dígame.

Le conté que, casualmente, visité Kalona y que en el escaparate del Kountry Kreations descubrí una manta alemana exactamente igual a la descrita por Ersi, que creyó que era india.

—Me deja sorprendido. No, no sabíamos nada al respecto. Pensábamos que se trataba, en efecto, de una manta sioux o cherokee. Es un dato revelador y muy importante. ¿Se lo ha comunicado ya al sheriff? No me ha dicho nada.

—No. Es usted la primera persona a la que se lo digo. Piense que el caso Ersi era el de un intento y no el de un asesinato.

—Tiene razón, y, de cualquier modo, pese a ser usted un simple detective aficionado no está obligado, ni se le hubiera permitido, inmiscuirse en un asunto que incumbe sólo a las autoridades.

—Locales, ¿no?

—Sí, claro.

—¿Y cómo, lo mismo entonces que ahora, interviene el FBI?

—Es algo que no puedo contestarle. Órdenes de Washington, en última instancia. Y ahora, dígame, ¿qué piensa de la difunta Melania Schoech?

—Algunas cosas; pero, posiblemente, poco tendrán que ver con el hecho de haber sido asesinada.

—Sin embargo, le ruego me las cuente. Naturalmente, añadiendo algo más sustancioso que los datos que nos proporcionara la computadora central; pues ya sé que usted también ha hecho uso de ella para obtener, por lo visto, alguna información complementaria que ignoraba sobre los sospechosos.

—Todo lo que conseguí —le contesté— me era de sobra conocido. No me sirvió de nada gastar treinta dólares en balde.

—Bien. Dejemos eso. Refiérame todas esas cosas que asegura saber sobre la desgraciada Melania Schoech.

El vino rossé, tan falto de grados y que detestaba por su acidez y excesiva dulzura a la vez, era, sin embargo, la única posibilidad que tenía para elevar mi tono vital; así que me bebí tres vasos seguidos antes de referir todo lo que sabía sobre la filipina, mientras mi anfitrión tomaba apenas unos sorbos de la primera *copa*.

—Melania —le dije— estaba divorciada de un médico norteamericano nacido en Nueva York; se conocieron en Manila, donde él realizaba unos cursos sobre enfermedades tropicales hace siete años. Al cabo de nueve meses, vinieron a Estados Unidos e instalaron su residencia en Rokland, Maine; pero ella, al parecer, habituada a un clima tan distinto, dejó plantado al marido y regresó a Filipinas, donde comenzó a trabajar como cronista de sociedad en una importante revista. No fue hasta entonces cuando advirtió —según me ha contado Hani— que era una verdadera ninfómana y que necesitaba hacer el amor cinco o seis veces cada día, con cualquiera; aunque siempre —según Hani— creyera seguir estando enamorada locamente de su ex marido, en el que decía pensar a todas horas.

»Nieta de un banquero, que colaboraba con los japoneses durante la ocupación, a lo largo de la segunda guerra mundial e hija de un pequeño naviero y de una ex meretriz, a los quince años, por consejo de su abuela paterna, fue enviada a estudiar a España, concretamente a un colegio de religiosas situado entre las Navas del Marqués y El Escorial. Y fue allí, un domingo, en el transcurso de una excursión, donde perdió la virginidad en brazos de un apuesto estudiante del Colegio María Cristina.

—Por favor, mister Gentile. Todos esos chismes que me está refiriendo me traen al fresco. No estoy solicitando de usted una biografía completa de la víctima, que no sé dónde la ha obtenido, a no ser que haya intimado también con ella, como Gyorgy Skourtis, y le refiriera su vida, en esos momentos de relax que suceden al amor.

—En absoluto. Ignoro, sin embargo, si Hani...

—Bien. No es mi problema. Lo que deseo saber es cómo se comportaba en el curso, cuáles eran sus relaciones sociales con sus compañeros con independencia de ser amante de Skourtis y confidente de Hani; y algo para mí sumamente importante: cuáles eran sus ideas políticas.

—¿Sus ideas políticas?

—Sí.

—Nadie en el curso habla de política. Pero ¿qué cree usted, que una periodista filipina, al parecer amiga personal de la esposa del presidente y especializada en crónicas de sociedad, podía tener ideas progresistas, para entendernos?

—¿Y por qué no?

—Bien, yo le contesto entonces lo que pienso: que era una absoluta reaccionaria, pese a su aparente liberalismo y su frustración racial. Y es natural que así fuera siendo nieta de un banquero, hija de un naviero, amiga personal de Imelda de Marcos, la mariposa de hierro, esposa del presidente filipino, aunque ella intenta que la llamen la «Rosa de Tocoblán», y vinculada posiblemente a la CIA.

—¿La CIA?

—Sí. Como se aseguró falazmente de Ersi. ¿No cree que pudieran haberlas confundido en el primer intento y que, por fin, el asesino haya conseguido su propósito al haber descubierto cuál era su verdadera identidad? Me refiero a la de la víctima.

—¿Verdadera identidad? No le entiendo.

—Perdone. Quizá me he expresado mal. Quería decir que el asesino pudo pensar, en un principio, que la agente de la CIA era Ersi y no Melania. Más tarde, al descubrir su error y advertir que la que se encontraba vinculada a la *Compañía* era la filipina y no la griega, consiguió, por fin, su propósito de eliminarla.

—No puedo aceptar que las cosas sucedieran exactamente así, al menos pensando en la lista de los sospechosos. Sus antecedentes, desde el punto de vista político solamente, claro, son irreprochables; o, al menos, así lo estimábamos.

—Usted no puede aceptarlo, mas yo tampoco. Sucede que nos hallamos simplemente especulando dentro del universo de las suposiciones, como corresponde a una charla entre *investigadores*.

—¿Se imagina que usted es Sherlock Holmes y yo el doctor Watson, no?

—De ninguna manera. En última instancia, sería todo lo contrario, y sólo ése es el papel que estoy dispuesto a asumir —le contesté tras apurar el resto del vaso de rossé, pese a su pésimo paladar por culpa de su marca, ya que otros vinos californianos merecen mi aplauso y mi entusiasmo a causa de mi afición por el whisky escocés, irlandés, canadiense o norteamericano.

El agente del FBI, tras levantarse, se despidió de mí con un gélido apretón de mano. Al parecer, quería evitar que nos vieran juntos. Habían terminado las clases y el bar comenzó a poblarse rápidamente de universitarios, en cuanto a las siete, como estaba previsto, daría comienzo en el gran salón octogonal, dependencia contigua al bar, la sesión de jazz de un joven conjunto llegado aquella misma mañana desde Nueva Orleans. Instantes antes de partir me dijo:

—En fin, como *amateur* que es de la investigación, quiero revelarle algo que para usted hará mucho más atractivo el caso: junto al cadáver de Melania descubrimos la oreja izquierda de un pequeño gato de porcelana. La derecha ya la habíamos hallado antes en el apartamento de Ersi, tras el fallido intento de su asesinato.

* * *

Las exequias de Melania Schoech fueron aplazadas hasta la llegada de sus familiares —su padre y el mayor de sus hermanos—, pese a que su ex marido había aterrizado en Cedar Rapids, vía Chicago, desde Nueva York sólo un día más tarde. No obstante, ya todo dispuesto para el entierro, se presentó un nuevo problema, el doctrinal, por lo que se decidió finalmente suprimir la ceremonia y realizar la cremación del cadáver en la funeraria, con objeto de que su padre y hermano se llevaran a Filipinas sus cenizas en una pequeña urna de alabastro y efectuar en el panteón familiar de Manila los funerales religiosos oficiados por los sacerdotes de la secta budista a la que pertenecía.

Como si el intento de asesinato de Ersi y la muerte de Melania hubieran sido obra de Jack el destripador, el campus universitario en general, la residencia Mayflower en particular y el Programa Internacional en especial, entraron en las siguientes setenta y dos horas en un estado psíquico de terror colectivo, propagándose además —a todos los niveles ciudadanos— el rumor de que el asesino no podía ser otro que un indio cherokee llegado del condado de Buena Vista.

El desconcierto y el pavor terminaron por alcanzar también a lo largo de una semana no sólo a todos los habitantes urbanos de Iowa City, sino a los hacendados y granjeros cuyas viviendas se encontraban a decenas de millas de la ciudad universitaria y, finalmente, a los pueblos y aldeas más alejados de la antigua capital del Estado: desde Marshalltown a Ottunwa y desde Waterloo a Clinton, en la orilla del Mississippi.

Tres

EN EL BURDEL

BAHARAUDDIN ZAINAL —quizá el único participante del curso que no había logrado obtener los favores eróticos de ninguna mujer— me pidió, la noche misma de la cremación del cadáver de Melania, que tuviera la amabilidad de acompañarle a la *sauna* de la calle Dubuque Sur. Acepté su proposición no por la necesidad y menos aún por el deseo de estar con una puta sureña como al parecer eran todas las pupilas, lo cual podía tener evidentemente su encanto, más desde el punto de vista de la comunicación que del sexo, sino, simplemente, por la curiosidad de conocer un lugar —del que tenía ya sobradas referencias— tan distinto, en su mecanismo, de los viejos burdeles franceses, italianos y españoles que había frecuentado en mi adolescencia.

Antes de partir hacia la *sauna*, a una milla del centro en pleno extrarradio, situada junto a un diminuto bar a media luz entre una gasolinera y un pequeño supermercado, Baharauddin Zainal, excitado y nervioso pese a su tranquilo carácter oriental, se tomó tres vodkas con pomelo —mientras yo bebía un par de *bourbons*— y me aseguró que, posiblemente, exceptuando el confort y las reglas higiénicas, no encontraría demasiadas diferencias entre el único burdel ciudadano y un prostíbulo malayo. El hecho es debido —me explicó— a que los nuestros le han servido de modelo, según tengo entendido, a partir de la segunda guerra mundial, abandonando el tradicional esquema francés.

—No intelectualices el problema —le respondí—. Si tanto necesitas estar con una mujer, aunque sea llegar y pegar, como en un burdel cuartelero, juego al que por lo visto no estás habituado, acéptalo. Aunque, según Gyorgy y Hanni que han estado allí en un par de ocasiones, la tarifa ofrece un amplio abanico de posibilidades, cuyos precios oscilan entre los setenta y los doscientos cincuenta dólares.

—¿Setenta dólares el mínimo? —me preguntó asombrado.

—Setenta, sí —le contesté—, más un par de ellos por la entrada y la permanencia en el *sexy-hall*, custodiado por un gorila, donde por lo visto puedes adquirir, a un precio razonable, cualquier instrumento complementario para tu absoluta realización sexual, si te son necesarios. También puedes encerrarte allí en una cabina y contemplar, por cincuenta centavos cada tres minutos, el tipo de filme, corto pornográfico, que prefieras.

—De manera que setenta dólares como mínimo —volvió a repetir tras solicitar de una de las estudiantes de servicio en la barra otro vodka con pomelo y, a continuación, dirigirse a la máquina automática tostadora de palomitas de maíz—. ¿Quieres que te diga una cosa, compañero? —me dijo al regresar—. Por setenta dólares en mi patria puedo hacerme de un junco y dedicarme a la piratería. No obstante, démonos una vuelta por la sauna para conocer el ambiente.

Tras cruzar la puerta de cristales esmerilados, imitando una vitrina Tudor, y la pesada cortina de plástico celeste-astronauta forrada de cretona rosa estampada de bananas, pomelos y albaricoques —posibles simbolismos fálicos y clitóricos—, Baharauddin Zainal, adelantándoseme, se dirigió directamente al mostrador de recepción para abonar, al alto y fornido conserje, los cuatro dólares correspondientes al importe de nuestra entrada en la sauna.

El hilo musical desgranaba suaves canciones de Sinatra. Olía a alcanfor, a desodorante canino, a insecticida y a tinta fresca exhalada por el papel cuché de los magazines pornográficos que se alineaban en los anaqueles de polietileno de la derecha del vestíbulo, mientras a la izquierda se encontraban, cuidadosamente ordenados también, una amplia gama de los más sutiles y sofisticados instrumentos: corseletes de piel de foca y aluminio, plumeros de pavo real, látigos de siete colas, miniaturas de los más diversos animales, botas piratas, ligueros de piel de serpiente, cinturones de castidad y muñecos inflables cuyos rostros abarcaban una amplia gama de personajes famosos masculinos y femeninos: desde Marilyn Monroe a Jane Fonda, pasando por Greta Garbo y desde Paul Anka a Humphrey Bogart, sin olvidar a Rodolfo Valentino, Stalin, Mussolini y Pablo VI.

Tras unos minutos de curiosear en ambas vitrinas, el conserje preguntó dirigiéndose a Baharauddin Zainal —en razón de su juventud, su escasa estatura, su aspecto de extranjero o del oscuro tono de su piel— con gesto agresivo, pero cortés, tras hacernos entrega de una tarjeta color rosa en la que se especificaba, un tanto ambiguamente, tiempos, *operatividades* y tarifas, si pensábamos o no entrar en el salón.

—¿Pasamos o no? —me preguntó Baharauddin en francés.

—Quedamos en que vine sólo y exclusivamente a acompañarte —le contesté—; hazlo tú. Te espero en el barecito ese de la luz opalina.

—Entra conmigo, por favor, y sales si no te interesa ninguna.

—Seguro. No obstante, voy a echar efectivamente un vistazo.

* * *

Trece putas, seis entre los veinte y los veinticinco años —sólo una de ellas de color—, y siete, alrededor de los treinta, en bragas y sujetadores de malla, zapatos de tacón alto y transparentes saltos de cama de los colores más dispares y chillones se encontraban o sentadas en balances de rejillas y sofás Olimpia —fumando desde marihuana a habanos de Tampa— o arrojando dardos sobre una diana cuyo centro radial era exactamente un clítoris y su entorno el pubis, afeitado en forma de corazón, y los abiertos muslos enfundados en medias negras con ligas lilas, de perfectas y armónicas líneas.

—Acaricia el marfil —me dijo Baharauddin en voz baja en el momento en que se dirigía a nosotros la madame para interrogarnos sobre nuestros particularísimos gustos al respecto.

—¿Han elegido ya?

Mientras personalmente guardaba silencio como si no me incumbiera el asunto, y, en efecto, no me incumbía la pregunta, Baharauddin Zainal señaló a una pelirroja de facciones germánicas, de veintitantos años, ojos azul prusia y casi un metro ochenta de estatura.

—Ella —dijo señalándola.

Entregó en el acto la madame al poeta malayo una llave dorada de la que pendía un corazón de plástico rojo y le rogó, antes de pasar a la alcoba, abonara el importe de la visita al cajero, otro gorila, pelirrojo también, de largas barbas evangélicas, en mangas de camisa y tocado con una visera de celuloide verde, que se encontraba en la penumbra sentado ante un pupitre, débilmente iluminado por un flexo.

Tras indicar a Baharauddin que le esperaría en el *hall* —caso de no tardar en exceso o, en caso contrario, en el barecito situado junto a la gasolinera—, crucé el corredor decorado con amplias fotografías de Marilyn Monroe desnuda y me senté en una butaca situada en el vestíbulo, frente al anaquel de los *tormentos* y de las diminutas porcelanas de los animales en erección.

Sin pretenderlo y sin ningún tipo de excitación por mi parte, comencé sin embargo a rememorar algunas de las aventuras galantes vividas a lo largo de mi existencia; algo que, pese a mi aparente juventud y mi indiscutible vitalidad, me hace siempre inevitablemente entrar en un estado de depresión y melancolía.

Cuatro meses atrás, y tras la traducción al ruso de uno de mis últimos libros, había permanecido tres semanas en Moscú, ciudad que apenas conocía en cuanto mis viajes a la capital soviética habían tenido por los años sesenta un carácter que me impedía hacer turismo.

Florido mayo moscovita; plenitud primaveral; dulces y apacibles tardes de ensueño; visitas a monumentos, museos y editoriales. Un ágape tras una conferencia en el centro español situado a un par de manzanas del teatro Bolchoi. Lengua de cerdo mechada y envuelta en gelatina con guindas y nata agridulce; vodka, jerez, almendras gerundenses y caviar, salmón, arenques ahumados y otras *delikatessen* que degustaba a mi lado, con entusiasmo, Ludmila Alexandrovna, una joven traductora funcionaria del Kremlim, de oblicuos ojos asombrados y dentadura de lobezna que, tras contemplarla un par de veces de arriba abajo para observar sus torneadas piernas y sus senos de Venus, decidió conectar con mi voraz mirada de tigre al acecho de cualquier presa.

—Su conferencia ha sido magnífica —me dijo— y sus palabras muy elocuentes.

—Mucho más lo son tus ojos —le contesté.

—No me lo digas dos veces, pues me pones al borde de un orgasmo —me replicó mientras abanicaba parpadeante sus largas y sedosas pestañas.

—¿Qué te ocurrirá entonces cuando nos encontremos en la cama?

—¿En la cama? ¿Tienes la osadía de preguntármelo así, directamente?

—¿Es que acaso no estamos viviendo ya el prólogo?

—Pienso que no es suficiente. Con independencia de que estaba hablándote en broma, tendría que conducirte a mi apartamento y no que tú me llevaras a tu *especialísimo* hotel, donde no me dejarían subir a tu habitación. Y a mi casa puede haber llegado ya mi marido.

—En tal caso, busquemos un amueblado.

—¿En Moscú, un amueblado?

—Perdona, claro. La moral socialista impide...

—No impide nada. Pero es preciso cubrir las formas.

El segundo secretario de la embajada española que se encontraba al otro extremo del buffet, se me acercó por la espalda y, tras pedir disculpas a Ludmila, que hizo un gesto de desdén, me llevó aparte, ante el cortinaje de una ventana, para aconsejarme la mayor precaución y cautela con respecto a ella, vinculada a las altas esferas del gobierno soviético.

—Además —añadió— se trata de una tipa muy especial.

—¿En qué aspecto? —le pregunté.

—En la cama. O, mejor dicho, antes de llegar a ella.

Cuando volví a reunirme con Ludmila, hizo un gesto de desánimo.

—¿Qué te ha dicho de mí el segundo secretario? —me preguntó.

—Nada.

—Estoy segura que sólo y exclusivamente habéis hablado de mí.

—¡Qué afán de protagonismo! Te equivocas.

—¿Entonces?

—No tengo inconveniente en decírtelo —le respondí fantaseando—. Se ha limitado a decirme que mañana seré recibido por el subdirector de Cultura.

—El subdirector de Cultura se encuentra estos días en Leningrado.

—Vuelve esta noche —le contesté.

—Bien. Es posible; lo ignoraba; perdona. He pensado que podíamos marcharnos, en cuanto termine el *lunch*...

—Que prácticamente ha terminado.

—... al apartamento de una amiga del que tengo la llave hasta que regrese del mar Negro de vacaciones.

Sólo quince minutos más tarde nos encontrábamos en la calle. Diez de la noche. Las estrellas titilantes en el cielo de mayo. Un soplo de aire fresco; brisa de abetos centenarios, de robles y de rododendros húmedos de rocío. Lejanas luces cual soñadas auroras boreales. Bronce en los monumentos; las estatuas, cantos a la victoria y al trabajo; tremolar de banderolas en los postes del tendido tranviario y en las entradas de las estaciones del metropolitano. *Perspectivas* y más *perspectivas*; sombras en los jardines cenicientos junto a los palacetes amarillo Roma; discordantes cláxones, y los semáforos ya en intermitencia.

—¿Cómo? —le pregunté cuando me senté a su lado y puso en marcha su automóvil—. ¿Un Saab?

—Sí, claro, ¿no lo estás viendo? ¿Qué sucede? ¿Tiene acaso algo de particular?

—Particularísimo. ¿Una funcionaria del gobierno con un coche sueco? Pensé que tendrías un Lada nacional.

—Eso queda para mi marido. ¿No merezco acaso permitirme el lujo de tener un coche extranjero?

—¡Por supuesto que sí!

Silencio. Largo silencio tan poco eslavo. Y, cuando al cabo de unos minutos, comencé a acariciarle las rodillas dio un grito idéntico al de una rata arrinconada a la que se le hubiera arrojado un cubo de agua hirviente. Igual. El Saab perdió la dirección y estuvo a punto de estrellarse contra el acerado de la callecita recoleta que tomamos para desembocar en la autopista, camino del barrio Leningradoky, cruzarla por el primer cambio de sentido y penetrar en la lujosa zona residencial. De nuevo *perspectivas* y más *perspectivas*, nuevos parques atestados de ardillas, nuevos jardines, nuevos monumentos. En sólo unos minutos desapareció de nuestra ruta la siniestra arquitectura de los *felices* años veinte y de los treinta y de los cincuenta, y el cristal comenzó a sustituir a la piedra-cemento.

Ludmila detuvo el coche ante un bloque rodeado de jardines. Al intentar besarla antes de que abandonáramos el auto me dijo:

—¡No, por favor, no me toques antes de que me duche!

—De acuerdo; aunque para mí el sudor femenino es un incentivo para las caricias y el placer, y hacer el amor dentro de un automóvil me resulta casi más importante que en la cama.

—¡Yo no he hablado del lecho, mi amor!

Al entrar en el apartamento de la amiga de la Alexandrovna lo primero que me llenó de asombro fue descubrir, apilados a la izquierda del breve vestíbulo —junto a una falsa vitrina inglesa de nogal atiborrada de piezas de cristal de Bohemia—, cuatro neumáticos de automóvil.

—Es imprescindible ser precavida —se justificó Ludmila señalándomelos—. Lo mismo es posible no encontrarlos en el mercado; de forma que es preciso tener siempre repuestos, por si acaso..., única manera de estar segura de que, en cualquier momento, puede hacer uso de su auto. También yo en mi casa tengo ruedas de repuesto.

—Perfecto —le contesté—. He de imaginar que, dadas las circunstancias que parecen ser existentes en el consumo, para regular también el uso de la píldora anticonceptiva, tengas todo un armario lleno de ellas.

—¿Píldoras? ¡No, por Dios, qué horror! Yo prefiero el diafragma. Me hice uno a la medida y me lo traje hace un par de años durante un viaje que hice a Estocolmo, como traductora.

—¿Hablas también sueco?

—¡Faltaría más! —me contestó ya en el salón, mientras en menos de un minuto se desnudaba por completo para tomarme a continuación de la mano y conducirme hasta el cuarto de baño.

Sin permitirme que rozara siquiera su espléndido cuerpo casi adolescente, Ludmila Alexandrovna se enjabonó y duchó por cuatro veces consecutivas para finalmente pedirme que, dentro aún de la bañera, y sin permitirme que me despojara de una sola de mis prendas, hiciéramos el amor.

Aquella pasada experiencia, no por absurda menos interesante, me vino al recuerdo en el preciso momento en que frente a mí, en la vitrina de los animalitos en erección descubrí asombrado un pequeño felino con un lazo rosa al cuello, idéntico por las trazas, al parecer, al que se correspondía con las cortadas orejas del gato de porcelana encontrado por la policía en el apartamento de Ersi y en el corredor del Mayflower, junto al cadáver de Melania Schoech.

* * *

Baharauddin Zainal, que había tardado exactamente quince minutos en cumplir su rito erótico con la pelirroja que eligiera para llevarse a la cama —simple canapé forrado de crespón rojo, según me explicara más tarde—, salió al vestíbulo donde me encontraba esperándole sorprendida aún mi mirada en el pequeño erecto felino. Sus profundos y negrísimos ojos estaban cargados de desilusiones y desesperanzas, como si en vez de hacer el amor hubiera sido humillado en lo más profundo de su carácter y su mentalidad orientales.

—¡Estoy seguro de que estas fulanas son todas, no una manada de putas, sino robots. Poco han aprendido de Oriente estos mercachifles de americanos! —exclamó.

CUATRO

EL DISCURSO DEL MÉTODO

EL HÚNGARO, NACIONALIZADO NORTEAMERICANO, Joshe Szerties, profesor de lenguas románicas de la universidad, que junto con Helena Percas, del Grinnell College, eran los mejores especialistas del Siglo de Oro de todo el Estado, me telefoneó la mañana del día siguiente a la tarde de mi visita al burdel, para que almorzáramos juntos en el Best Steak House.

—No se trata sólo de que lo hagamos —me dijo—, lo cual siempre me complace, sino que intento me aconsejes sobre un íntimo problema personal que tengo pendiente, a cambio de lo cual te revelaré un secreto, mejor dicho, un increíble rumor del que acabo de ser informado.

—Que posiblemente guarda cierta relación con el crimen del Mayflower, ¿no?

—En efecto. ¿Cómo es posible que lo sepas?

—Sólo lo imagino. ¿Es que acaso se habla en estos días de otra cosa en la ciudad? De acuerdo, almorzaremos juntos y conversaremos.

A las doce en punto me encontré con Joshe Szerties en el vestíbulo del Best Steak House y lo primero que hicimos fue estrecharnos calurosamente la mano antes de situarnos en la cola, muy corta aún, del autoservicio. Luego, con la carne y la ensalada en nuestras respectivas bandejas, nos dirigimos a una mesa situada ante uno de los ventanales del comedor.

—¿Qué es lo que te ocurre, Joshe? —le pregunté.

—¿Sabes que estoy divorciado, no?

—Ya me lo contaste.

—Bien, pero el caso es que, a pesar de que tengo una hija de doce años, que vive cuatro meses al año conmigo y el resto con su madre, a mi *amante*, una de mis jóvenes alumnas, de origen sioux, que no ha cumplido aún los veinte, se le ha metido en la cabeza que nos casemos a pesar de los muchos años que nos separan. Caso contrario, me abandonaría, y la verdad es que, aunque no me encuentre enamorado de ella, paso a su lado veladas inolvidables.

—¿Y eso es todo?

—No, claro que no lo es. El problema radica en que al residir en el Mayflower, aunque sea en la tercera planta, corren rumores que han llegado ya por lo visto hasta el sheriff que fue ella la que atentó contra Ersi Sotiropoulou y asesinó a Melania. Ambas noches de autos, sin embargo, las pasamos los dos en mi apartamento.

—¿Y eso te inquieta?

—Naturalmente. De este pueblo se puede esperar todo. Serían capaces de lincharla. ¿Estimas que debo poner al sheriff al corriente de que nos encontrábamos precisamente aquellas dos madrugadas juntos?

—¿Pero es que aún no lo has hecho?

—No.

—Telefonéale. Sé de memoria el número: 332-7807. ¿Dónde se encuentra ella ahora?

—En mi apartamento.

—Llámala inmediatamente y comunícale tu decisión. Piensa que si dejas pasar unas horas es muy probable que sea detenida. Ya sabes que el FBI, aunque se vea obligado a hacerlo por medio del sheriff, está detrás del asunto. Con respecto a la verdadera pista sobre el autor o la autora del intento de asesinato y del crimen, estoy ya tras ella.

—¿Tú?

—¿Te extraña?

—No, de ti todo puede esperarse. Sin embargo, pienso que cómo es posible.

—Paradójicamente, la vida está llena de coincidencias. Ya te contaré dónde descubrí el cabo del ovillo.

—Explícate.

—No me es posible. Aún necesito continuar investigando, a nivel personal claro está. Y pienso que en un par de semanas a lo más tardar tendré en mis manos todas las pruebas para hacer una acusación convincente ante el propio fiscal del distrito.

—Conocía tus aficiones, pero no hasta esos límites. ¿Me tendrás al corriente?

—Naturalmente, en la medida que impongan las limitaciones del secreto que he de guardar aún celosamente. Y ahora sigue mi consejo. Llama primero a tu *amor* y telefonea inmediatamente al sheriff para concertar rápidamente una entrevista.

—Lo haré. Me quedan sólo unos minutos para entrar de nuevo en clase y habrás de dispensarme. ¿Podríamos vernos esta noche?

—Por supuesto.

—¿Dónde?

—En el bar del Memorial Union, a la salida del cine

club donde proyectan una película de Buñuel, sobre las nueve y media. ¿De acuerdo?

—De acuerdo. Te espero en la barra.

* * *

Argumentándose que la copia llegada a la universidad se encontraba en pésimas condiciones, el filme de Buñuel fue sustituido por otro del neorrealismo italiano, interpretado por Vittorio de Sica, que carecía para mí del menor interés en cuanto lo había visto ya al menos un par de veces; de manera, pues, que en vez de tomar el ascensor —en cuya puerta me crucé con Desmond Hogan, al que expliqué las causas de mi negativa de subir a la sala de proyecciones a ver la película, tras haber sido cambiada—, bajé al *hall*, crucé el largo vestíbulo y me dirigí al bar para sentarme en una mesa solitaria después de haber adquirido en la barra una frasca de vino rossé y una cesta de palomitas de maíz.

Aunque la temperatura había descendido en el exterior casi veinte grados y corría en la calle un gélido viento del norte, el aire acondicionado dentro del recinto era tan caliente que estuve a punto de cambiar la jarra de vino californiano por una de cerveza helada, lo que no llegué a hacer, sin embargo, al ver aparecer hora y media antes de lo previsto a Joshe Szerties, enfundado en un grueso anorak y tocado con un gorro de falso astrakán, acompañado por su alumna y amante —de corta estatura, ojos negrísimos, tez paradójicamente rosada, cabellos azulantes recogidos en dos trenzas sujetas en los extremos con cordones de lana color verde, pantalón vaquero, bufanda lila, y flecada chaqueta de ante— que me fue presentada, pese a llamarse

Mary Smith, como Nube Celeste, su nombre sioux, para a continuación tomar ambos asiento frente a mí y, tras unos minutos de silencio, justificar su presencia antes de la hora prevista y venir acompañado.

—Como ves, yo también he llegado hora y media antes.

—Imaginé que te encontrarías ya aquí y por eso hemos bajado a buscarte. Subimos antes al cine club y Desmond Hogan, con el que me encontré en el vestíbulo, me ha explicado que al haber cambiado el filme de Buñuel por otro de De Sica renunciaste a entrar en la sala de proyecciones.

—Así ha sido, en efecto.

—Por suerte te encuentras en el bar noventa minutos antes de lo previsto.

—¿Por qué dices por suerte? De ser preciso, y tú realmente necesitarme, me hubieras descubierto inmediatamente en el cine. Ya conoces las pequeñas dimensiones de la sala.

—Naturalmente, así lo hubiera hecho.

—Bien. Cuéntame qué sucede. ¿Hablaste con el sheriff?

—Acabamos de estar con él Nube Celeste y yo hace sólo media hora.

—¿Y cuál es su opinión?

—Ninguna. Se ha limitado a redactar un informe y hacerme firmar una declaración jurada de que aquellas dos madrugadas ella se encontraba en mi apartamento; algo, por otro lado, que ya aseguraba saber, lo cual me ha desconcertado.

—De lo único que él estaba ya convencido es que, en efecto, ella no pasó ninguna de aquellas dos noches en el Mayflower, en cuanto en ambas fechas la policía hizo una lista completa de los pernoctantes —le contesté mientras miraba burlonamente a Mary Smith, que no había osado pronunciar aún una sola palabra, manteniendo la conocida hierática actitud india, unos segundos antes de levantarme para solicitar un par de vasos en la barra e invitarles a que bebieran también rossé, lo que ambos aceptaron tímidamente.

—En definitiva —me preguntó en tono angustiado Joshe—, ¿qué piensas de toda esa absurda acusación de que Nube Celeste es objeto?

—Yo que tú no me preocuparía del asunto en absoluto, en cuanto imagino que, de alguna manera, el FBI y, naturalmente, el sheriff están sobre la pista del crimen, aunque ignoro si en la misma medida en que yo lo estoy.

—¿Entonces, usted sabe quién es el asesino? —me preguntó ella.

—No exactamente. Aunque estoy seguro de encontrarme sobre la verdadera pista.

—Díganos al menos si, como se asegura, pudo ser un indio, o una india, sioux o cherokee.

—¡No!

—¿Está seguro?

—Segurísimo.

—¿Qué nos recomiendas entonces que hagamos? —preguntó Joshe Szerties tras apurar su tercer vaso de rossé.

—Nada, aunque pienso que, para evitar posibles nuevas acusaciones contra Nube Celeste, ya que el asesino intentará cometer por lo menos un crimen más, ella deberá abandonar a partir de esta misma noche el Mayflower; algo que, desgraciadamente, yo ni quiero ni podría permitirme, y se quede a vivir en tu apartamento, tras darse inmediatamente de baja como pupila en la administración y trasladar su equipaje a tu casa.

Joshe Szerties me miró sorprendido y asombrado, y fue Nube Celeste la que me contestó:

—Gracias, mister Gentile, le agradezco su consejo; algo que estoy segura él aceptará ya que mis auténticos temores no son precisamente que se me acusara de asesinato ni siquiera de haberme convertido en chivo expiatorio, ya que al fin y al cabo me siento orgullosa de ser una sioux, sino de ser cualquier noche asesinada en mi propia habitación.

* * *

Los sioux, mal denominados dakotas, pertenecen a distintas tribus que poblaron las estepas centrales a ambos lados del Missouri, desde Saskatchevan, al norte, hasta Arkansas, en el sur. Típicos representantes de los pieles rojas, sus características antropológicas varían de una tribu a otra. De alta talla y mesocéfalos, tienen el rostro oval, ojos oscuros y oblicuos, nariz recta y aguileña, boca grande, frente estrecha y cabellos relativamente claros. Emigraron desde la costa atlántica hacia el interior, donde buena parte de ellos cambiaron sus prácticas agrícolas por un nomadismo subordinado a la caza del bisonte que les proporcionaba alimentos, vestidos y viviendas, constituidas éstas por tiendas de piel. Vivían en régimen patriarcal formando bandas o grupos y la principal autoridad era el consejo de ancianos. Animistas, son sobradamente conocidas sus costumbres de adornarse con plumas y de pintarse la piel. Hábiles y feroces guerreros, frenaron el avance de los blancos hacia el Oeste. En la actualidad, muy reducidos en número, viven en distintas reservas, habiéndose integrado la mayoría en el contexto agrícola e industrial de los Estados de Nebraska e Iowa. Así pues, dadas sus características, puse naturalmente en duda que Mary Smith fuera ya exactamente una india sioux, aunque el tiempo me demostraría que, en efecto, lo era.

* * *

A los dos días de haberme sido presentada Nube Celeste —con la cual, aunque residiera desde los primeros días de septiembre en el Mayflower, nunca me había cruzado con ella ni en el vestíbulo, ni en los ascensores, ni en la biblioteca de la residencia universitaria— los participantes del Programa, siguiendo las normas establecidas todos los años para el Curso Internacional, realizamos una excursión al río Mississippi, que serpenteante separa el Estado de Iowa de los de Wisconsin, Illinois y el norte del Missouri. Salimos de la ciudad a las siete en punto de la mañana en el autobús del Departamento de Literatura. Era aún noche cerrada cuando alcanzamos, siguiendo la autopista del Este, Spingdale, donde desayunamos en la cafetería de un motel. Habíame situado en la última fila del autobús, donde todas las butacas se encontraban vacías. Mis contactos con el resto de los compañeros del curso, justamente treinta y cinco en su totalidad, que abarcaba ciudadanos de todas las nacionalidades, se habían enfriado hasta el punto de apenas cruzar palabra con casi ninguno de ellos. Al parecer, era acusado de persona demasiado vinculada a la dirección universitaria y, también, a la policía. Tampoco se me perdonaba que en multitud de ocasiones fuera invitado a dar charlas y conferencias en distintas universidades y colleges, próximos o lejanos, y que, prácticamente de jueves a lunes a lo largo de los dos primeros meses del curso, me encontrara ausente de la ciudad. Para mí resultaban siempre fundamentales estos viajes, ya que de viernes por la tarde a lunes por la mañana el campus universitario se encontraba invariablemente desierto y el único medio que tenía de romper mi soledad hubiera sido —lo que no hice nunca— asistir a los partidos de fútbol americano que se celebraban cada tarde de sábado en el estadio o dedicarme sólo y exclusivamente a emborracharme con Gyorgy Skourtis y Mohamed Hani Kamal, los únicos participantes del Programa que a cualquier hora y cualquier día homenajeaban a Baco con vino de California o del Estado de Nueva York, cerveza, ginebra, whisky escocés, bourbon y kentucky, mientras compartían cigarrillos de marihuana, pese a estar prohibida la yerba en todo el Estado, por otro lado semiseco, por lo que sólo determinados establecimientos están autorizados a servir alcohol, encontrándose además la única bodega autorizada a cuatro millas de distancia del centro de la ciudad; lugar en el que para adquirir cualquier tipo de bebidas es preciso mostrar la credencial universitaria, en el caso concreto de los componentes del curso, y el documento nacional de identidad, el resto de los ciudadanos. Al otro extremo de la fila se encontraba Edwin Gentzler, el más joven de los *asistentes* del Programa, el cual me preguntó sobre mi actitud con mis compañeros de curso.

—No soy yo, sino ellos, los culpables de esta situación.

—En el fondo, desde la noche que intentaron asesinar a Ersi y luego ya definitivamente con la muerte de Melania, todos y cada uno de vosotros desconfiáis de los demás. Paul Engle se encuentra muy preocupado por vuestro individualismo. Sin embargo, no creo que ninguno pueda pensar que el asesino de Melania haya sido ningún participante del Programa. Sucede que inevitablemente los asesinatos crean una situación de tensión que no creo posible pueda ser superada. Veremos cómo están los ánimos al regresar de nuestra excursión que yo pienso no debíamos haber realizado, aunque forme parte del Programa que debemos cumplir. ¿Conoce el Mississippi?

—Sólo en la desembocadura. Hace ya años que asisto la víspera del carnaval en Nueva Orleans a los congresos sobre literatura comparada que se celebran en la universidad de Tulane.

—El Mississippi tiene en cada uno de los Estados por los que transcurre su propia personalidad. Unas veces sus aguas son rojas, otras azules, otras verdes. En ocasiones es rápido, otras lento. Unas pacífico, otras agresivo. Sus riberas son floridas o desérticas. Por tanto, es necesario que lo conozca también aquí, en el Medio Oeste, cruzando la Gran Pradera.

Hasta que llegamos a los límites del Estado donde las aguas del Mississippi sirven de frontera, Edwin estuvo conversando conmigo sobre multitud de temas. La visita de los participantes del Programa a distintos pintorescos lugares situados a orillas del río, resultó al parecer a todos deprimente y aburrida, pese a realizar un corto crucero a mediodía en un yate donde almorzamos carne de venado asada a la barbacoa regada con las más distintas marcas de vino, algunos de ellos excelentes por cierto y todos procedentes de distintos Estados de la Unión.

Cuando sobre las siete de la tarde volvimos a subir al autobús para regresar a Iowa City, en unos minutos todos los participantes del Programa se quedaron dormidos, incluyéndome, aunque en mi caso concreto lo hiciera cuando habíamos recorrido ya medio centenar de millas, exactamente la mitad del camino.

CINCO

EL MAGO

HABÍA CONOCIDO al *Mago*, Robert Dominguez, al comenzar el curso, durante una lectura en la que intervinieron Mohamed Hani Kamal y Cid Corman en la librería universitaria. Al terminar el recital, se me acercó para invitarme a tomar una copa en su casa, situada en la avenida Muscatine, frente al cementerio Memory Gardens.

—Mi origen hispánico —dijo— me obliga por gentileza y cortesía a ofrecerte mi casa.

—Gracias —le contesté—. Pero podíamos vernos en otra ocasión. También me siento obligado, por razones de cortesía, a acompañar esta noche a Hani y a Corman al bar Mickey, donde hemos quedado citados para ir a cenar juntos a La Botella Marrón.

—En tal caso, al concluir la cena os espero a los tres. ¿De acuerdo?

—Tendría que consultar con ellos.

—En caso que se nieguen a ir, te espero a ti solo.

Frente a su insistencia terminé por aceptar y, como preveía, tanto Hani como Corman —después de algunas copas y una ligerísima cena— decidieron rechazar mi ofrecimiento y encaminarse al Mayflower, justificándose —con razón— que tenían que levantarse temprano la mañana del día siguiente para asistir a una lectura en el Mark Twain School. Es preciso aclarar que este mi primer encuentro con Robert Dominguez, *el Mago*, se produjo exactamente tres días antes del intento de asesinato de Ersi Sotiropoulou y que, por tanto, el Curso Internacional gozaba aún de una relajada paz que desaparecería a partir de la aparición del *fantasma* en la residencia universitaria.

Violeta y temblorosa la luna, entre estratos y nimbos, la alta noche de otoño se encontraba nimbada de claridades cuando, sobre las diez ya dadas, pulsé el timbre de la casita amarillo limón, con cenefas celestes, de *el Mago*.

—Estaba seguro de que vendrías. Y, también, de que lo harías solo. Supongo que ya sabes cuál es mi oficio: adivinador.

—Lo ignoraba —le contesté sorprendido.

—Me extraña, pues como tal se me conoce en la ciudad. Y muy especialmente en el medio universitario. Y si yo soy adivino, Betty, la mujer que comparte conmigo la vida, es pitonisa, algo también de sobra conocido. Por cierto que ella partió esta mañana para Des Moines para asistir a un congreso de parapsicología. Pasa y siéntate. ¿Qué deseas tomar?

La sicodélica decoración del salón me impresionó desfavorablemente. Los colores del mobiliario y los pósters y tapices daban a la estancia un aire de carpa de circo, y una bola de cristal irisado iluminada por un foco de luz color naranja reciclaba la vejez del aparador de nogal y las descascarilladas lunas de los espejos y el velador estilo Directorio sobre el que se hallaba colocada.

—¿Tienes scoth?

—Naturalmente, cómo no lo iba a tener. Y bourbon y kentucky y gin y coñac y sherry. Creí que tomarías jerez.

—Prefiero scoth.

Sentados ambos en el sofá de pana roja, tras los dos primeros tragos y el fondo musical de la *Sinfonía del Nuevo Mundo*, Robert Dominguez me preguntó:

—¿Eres creyente?

—No, para mi desgracia, no lo soy.

—Terrible. Verdaderamente terrible. Lo imaginaba.

—En efecto. Pero, a santo de qué viene esa historia si puede saberse. ¿Lo imaginabas o lo sabías?

—Lo sabía.

—Entonces, ¿por qué me has hecho la pregunta?

—Si no crees en Dios, mal puedes creer en mí; quiero decir en mis dotes de adivino.

—La parapsicología es una ciencia que poco tiene que ver con la fe y con el llamado más allá.

—Ciertamente. No obstante, ambas tienen puntos comunes.

—No sé qué quieres decir, explícate.

—Para ti la parapsicología es una ciencia, ¿no? Y la religión una alienación. Por tanto, no aceptaré jamás la posible relación entre ambas.

—Exactamente.

—Pues, como ya te he dicho, no es ése precisamente mi caso. Nosotros, los *magos*, conjugamos armoniosamente ambos postulados.

—La pérdida de la fe ha destrozado mi vida espiritual hace muchos años. Desde que soy consciente de ser un simple animal racional.

—El hombre es un ser único en el universo, y nacido a imagen y semejanza de Dios.

—¿Pero realmente crees en Dios?

—Naturalmente.

—Es una suerte. Te envidio. Para mí, por desgracia, el hombre es, te repito, un simple animal. Y como tal hay que contemplarlo a cualquier nivel, incluido el psicológico.

—La psicología, tal como es interpretada aquí, de manera tan distinta como lo fuera en la Alemania del diecinueve...

—¿Cómo confundes la psiquiatría freudiana con la psicología?

—Quería decirte simplemente, y perdona, que si la psicología, como todo, ha sido promocionada a niveles científicos en Estados Unidos, las razones no han sido otras que el marketing. Conocer el alma humana para convertir al hombre en un cliente en cualquier situación, en todo momento, siempre. Por supuesto, que en la U.R.S.S., el otro imperio, se toman idénticas medidas, pero por diferentes razones. Es allí donde se ha convertido la parapsicología en una verdadera ciencia, robándole todo su encanto mágico, ya que, a través de ella, se busca la negación absoluta de la divinidad.

—Es una locura que al hombre, un animal al fin y al cabo, le haya crecido el cerebro.

—Obra de Dios.

—Obra de la casualidad, de las circunstancias... Verdaderamente un *milagro*.

—Que sólo Dios podía haber hecho.

—¿Quién es Dios? Si lo interpretas como la totalidad del universo íntegro, desde una espiga a una estrella, desde una libélula a un árbol, desde el oxígeno al nitrógeno, sería capaz de aceptarlo; pero entre eso y el llamado más allá...

—La otra orilla.

—En fin, qué vamos a hacer. La fe es la fe. Te envidio.

—Tener fe en este país es algo muy grave. Fe en Dios, me refiero. La única fe que cuenta es la fe en el dinero. Como dice Werner Sombart, ni siquiera el protestantismo es un estímulo eficaz para el desarrollo capitalista.

—Siempre pensé que el luteranismo y el anglicanismo lo eran.

—Visto desde nuestra cultura católica, puede parecernos, seamos o no creyentes, pero no es así. Werner Sombart, profesor en Breslau, muerto en plena segunda guerra mundial y partidario en su juventud del marxismo, aseguraba además que toda profundización del sentimiento religioso provoca necesariamente una indiferencia hacia los asuntos económicos, y esto significa debilitamiento y descomposición del espíritu capitalista.

—Eso es evidente, pero lo disimulan. O mejor dicho, la religión puede ser un magnífico antifaz.

La gran botella de scoth se encontraba ya mediada. En menos de una hora nos habíamos bebido entre los dos tres cuartos de litro de whisky, por lo que la conversación empezó a perder poco a poco profundidad para terminar por frivolizarse, como era de esperar. El misticismo, la metafísica, el bien y el mal, la vida, la muerte, la resurrección..., desaparecieron de la charla como por ensalmo al haber alcanzado ambos los límites de la inconsciencia. Ninguno de los dos nos habíamos dado cuenta de que había empezado a diluviar, que estaban cayendo *perros y gatos* sobre las tumbas y mausoleos del vecino cementerio.

—¿Cómo se llama tu última amante? —me preguntó Robert.

—¿Mi última amante? ¿A qué te refieres? No sé qué quieres decir.

—¿Cómo que no lo sabes?

—Naturalmente que no. Hace años que dejé de tener amantes. Y si te refieres a alguna de mis aventuras suelo olvidarlas, única fórmula válida para continuar con el camino abierto. Si he dejado de creer en Dios, cómo es posible que acepte ningún tipo de compromiso amoroso. Sólo se vive una vez. Para creer en el amor eterno es necesario creer en la vida eterna.

—Estás completamente curda. Has perdido los estribos. No me refería al amor eterno.

—Puede que tengas razón. Me largo. Mañana tengo que levantarme temprano y son las dos.

—Casi mejor que te quedes. Está diluviando y me obligarías a llevarte en auto. A esta hora no funcionan los taxis.

—De todas formas intentaré localizar uno por teléfono, caso contrario te verás en efecto obligado a hacerlo.

—De acuerdo.

Conseguida la conexión con la centralita, quince minutos más tarde un taxista pulsó por tres veces el timbre. Bajo la lluvia, ya mansa y suave de la madrugada, alcanzamos en veinte minutos la residencia universitaria. Antes de partir, Robert me advirtió que fuera precavido.

—¿Precavido? ¿Por qué? No sé a qué te refieres.

—Como adivino que soy —me contestó— intuyo que en el Mayflower puede suceder cualquier madrugada una tragedia.

—Intuir no es adivinar.

—Tómalo como quieras; pero no olvides mi advertencia.

Desde aquella noche y hasta un mes más tarde no supe nada de Robert. Y no fue hasta el día siguiente de mi entrevista en el bar del Memorial Union con Joshe Szerties y Nube Celeste, cuando se puso de nuevo conmigo en contacto por teléfono.

—Acabo de regresar a Iowa City. He permanecido tres semanas en Nueva York —me dijo—, pero la verdad es que no me han cogido de sorpresa los sucesos del Mayflower. Ya te advertí que fueras precavido.

A pesar de mi estado de embriaguez aquella madrugada en su casa, logré memorizar su advertencia.

—Sí, ahora recuerdo que me aconsejaste que tuviera cuidado. Me sorprendes.

—Necesito hablar contigo. He pensado que esta noche podíamos cenar juntos. Mi mujer tiene un gran interés en conocerte.

—De acuerdo.

—Naturalmente, lo haremos fuera de la ciudad. ¿Prefieres que vayamos a Coralville o a Cedar Rapids?

—Me es indiferente.

—A las seis y media pasaremos a recogerte. ¿Te parece? ¿Tienes idea de quién puede ser el fantasma del Mayflower?

—Luego hablamos.

—¿Desconfías de mí?

—Cómo voy a desconfiar. Pasa que hay cosas que no se deben decir por teléfono.

—Sabes mejor que yo que tu residencia carece de centralita. Todos los apartamentos tienen línea directa.

—Discutiblemente.

—No vamos a discutir ese problema. Espéranos en el vestíbulo a las seis y media. *Okay?*

—*Okay!*

La exótica belleza, la cordialidad, la simpatía y las extraordinarias piernas de Betty, la pitonisa, compañera de Robert, me sorprendieron cuando había imaginado que se trataba de una *bruja*.

—¿Cómo? —les pregunté—. ¿Habéis comprado un nuevo coche?

—Es el mío. Lo tengo hace un año. Me lo regaló una clienta a la que presté un gran servicio —contestó Betty—. Le descrubrí en mi bola de cristal irisado quién era la amante de su esposo. Obtuvo el divorcio y una indemnización de quinientos mil dólares.

—Quiero que sepas —advirtió Robert— que mi vida no tiene nada que ver con la de Betty, que me limito a cobrar sólo la minuta por mis servicios como parapsicólogo y que no he admitido jamás ningún tipo de obsequio.

—Cada uno es como es, cariño —le cortó Betty.

—Pensé que el gabinete estaba regentado por ambos.

—No, querido Alberto —me contestó Robert—. Y creo que te lo expliqué la noche que nos emborrachamos en casa. Ella trabaja por su cuenta y yo por la mía. El hecho de que vivamos juntos no significa que mantengamos la menor colaboración profesional.

—Mientes —le replicó Betty—. Sabes bien que, en multitud de ocasiones, me he visto obligada a echarte una mano.

—Como yo a ti, ¿no? Pero eso no significa que nuestras profesiones, ciertamente tan semejantes, se encuentren vinculadas por ningún tipo de lazo, fuera del afectivo, el de nuestro amor.

La discusión entre ambos prosiguió, por supuesto sin ningún tipo de agresividad ni violencia, hasta que llegamos a Cedar Rapids, la cercana ciudad distante veintisiete millas y donde se encuentran, muy próximos al aeropuerto, los más afamados restaurantes del Estado, aunque personalmente prefiera los de Coralville. Aparcamos delante del Pekin.

—¡A un chino! ¿Pero cómo es posible que nos traigas a un chino? —exclamó malhumorada Betty—. Estoy segura que Alberto, de tanta comida china como se ve obligado a tomar cada vez que es invitado a su casa por Hualing Nieh, la directora del Programa Internacional, la odia.

—En casa de Hualing y Paul sirven invariablemente una comida excelente. Lo malo es cuando te invitan a hacerlo fuera.

—Luego me das la razón, ¿no?

—Lo que para mí cuenta —contesté— es cenar con unos buenos amigos como vosotros. El sitio me es indiferente.

—¿Lo ves, querida?

Inconcebiblemente, no fue hasta que se nos sirviera el postre de piña tropical cuando la conversación alcanzó la polémica alrededor del crimen del Mayflower que justificaba, al parecer, nuestro encuentro.

—¿Estás sobre alguna pista de quién puede ser el asesino o la asesina? —me preguntó Robert.

—No.

—Pensé que como detective amateur que eres, estabas realizando una investigación por tu cuenta.

—Siendo como sois los dos, uno mago y otra pitonisa, ¿por qué no me ponéis al corriente?

—Precisamente, por eso nos hemos reunido, para que nos informes sobre los antecedentes, ya que no nos bastan ni los rumores, ni lo que ha publicado la prensa, la radio y la televisión. Sólo contando previamente con ellos, a partir de unos días, podré darte no sólo una pista, sino el nombre del asesino o de los asesinos.

—No será él sino yo la que lo descubra —dijo Betty con una abierta sonrisa y mirándome intensamente a los ojos, lo cual me hizo pensar en la probabilidad de tener con ella una aventura—. Porque yo estoy más capacitada que él, como maga que soy.

—De una forma u otra, y sea quien fuere el que lo averigüe, vuestra obligación, en tal caso, es poneros en contacto con el sheriff, o, preferible, con el hombre del FBI.

—Pero ¿interviene el FBI en un problema que corresponde a la policía y al fiscal del condado? —preguntó Robert.

—Efectivamente. Todos los componentes del Programa hemos sido interrogados por él.

—Supongo que habrá sacado ya una conclusión.

—Lo ignoro.

—La sacaré yo —afirmó Betty—. Yo seré —continuó— la que descubra al asesino.

—¿Crees que puede tratarse de un indio sioux o cherokee?

—Es pronto para poder opinar. Pero mañana —prosiguió Betty— por la tarde, a la caída de la tarde quiero decir, la hora ideal, vendrás por casa, si te es posible, y juntos, sin él, que se marchará a mediodía a Burlington, nos apostaremos ante mi bola de cristal y verás reflejada en ella al criminal, o a los criminales.

—Preferiría que estuvierais los dos —respondí.

—En efecto, mañana tengo que ir a Burlington para resolver unos problemas que tengo pendientes en el Yacht-Club, del Mississippi, y lo más probable es que no regrese en un par de días. Lo siento o, mejor dicho, me alegro porque estoy seguro que ella no descubrirá nada. Tras mi regreso, volveremos a vernos. ¡Y ya me contarás!

Si a su vuelta me hubiera permitido contar a Robert Dominguez lo que sucedió la tarde, y la noche, del día siguiente; o él lo hubiera averiguado dada su profesión, cosa que no ocurrió por fortuna, lo más probable, dadas sus raíces hispánicas, es que me hubiera pegado un tiro con el rifle Winchester calibre 44, modelo 1894, que colgaba de la campana de su chimenea.

SEIS

NOCHE DE FUEGOS FATUOS

—YO HABÍA IMAGINADO —dije a Betty a poco de llegar a su casa la tarde del día siguiente— que Robert era el adivino y tú su médium. Quiero decir en un principio; ayer me aclaraste la situación.

—¡Imaginado! Sin duda, lo que pensaste es que él era Edward Alexander Crowley, el mago británico, y yo la desdichada Rosse Kelly, su esposa y médium. Todo ese rollo está pasado de moda. Hoy la magia ha adquirido una dimensión distinta.

—¿Quién es Edward Alexander Crowley?

—¿No lo sabes?

—Ni idea.

—Para sus discípulos fue no sólo el mago más importante de su época, sino también un profeta y un santo. Sin embargo, para el lord mayor de la Magistratura, tras su muerte, era la persona más perversa del Reino Unido.

—¿Es posible que compares a ese personaje con Robert?

—No lo he hecho. Sucede que, en el fondo de nuestro corazón, todos los ocultistas anglos lo admiramos, pese a su egolatría.

—Robert no es anglosajón.

—Dejemos el tema y ocupémonos del asunto que te ha traído aquí.

—No he venido voluntariamente. Fuiste tú la que me lo propusiste. Y si acepté hacerlo fue por estar a solas contigo, cerca de ti y tener la posibilidad de contemplar de nuevo tus ojos, y tus piernas —le contesté.

—¿Tanto te gusto? —preguntó Betty, conmovida, dejándose caer hacia atrás en el raído sofá de pana roja para dejar al descubierto primero sus corvas, luego sus rodillas y, finalmente, sus muslos.

—Naturalmente que me gustas. Eres una maravilla.

—Los hispanos sois tremendos. En vez de sentarte a mi lado e intentar abrazarme, comienzas a halagar mi discutible belleza. No os entiendo.

—Antes de acercarse a una mujer es preciso excitarla.

—No es mi caso. Ya lo estaba. Si te propuse que vinieras esta tarde no era para que intentáramos descubrir juntos la identidad del fantasma del Mayflower, sino para hacer el amor.

—¿Y a qué crees que he venido?

—¿Prefieres que nos quedemos en el sofá o nos vamos a la cama?

—Sin prolegómenos, el amor ha dejado de interesarme.

—A mí me es indiferente —me contestó Betty, desprendiéndose en unos instantes del vestido y arrojándose en mis brazos para, unos segundos más tarde, saltar como una tigresa y lanzarse a la alfombra sollozante. A continuación dio un salto y comenzó a reír a carcajadas, tras regresar al sofá y volver a ponerse rápidamente el vestido.

—¿Qué te ha parecido mi actuación como actriz? —me preguntó.

—Perfecta —le contesté—. Gracias a ella ha sido posible acariciar tu piel y alcanzar tu pubis. Y, ahora, explícate. ¿Qué es lo que pretendes?

—Lo que te he dicho, interpretar una comedia y, a la vez, comprobar el nivel de tu agresividad masculina.

—Una vez comprobado, es obvio entonces que nada tengo que hacer aquí —le repliqué, levantándome de la butaca para cruzar el salón y dirigirme al vestíbulo.

—¿Por qué te marchas?

—Cualquier respuesta sería tan absurda como tu actitud.

—¡Por favor, quédate! Volvamos a empezar de nuevo.

—No estoy dispuesto a consentir un segundo acto. Ha bastado el primero.

—Quédate, no voy a proseguir la comedia. Pondré música y tomaremos una copa.

—Gracias. Dejemos las cosas como están. Está anocheciendo y, en vista de las circunstancias, me marcho al cine club. Hoy proyectan una película de Simone Signoret y Gérard Philipe, interesante sátira sexual que me devolverá el equilibrio psicológico que he perdido por tu culpa.

—¿Cómo se titula?

—*La Ronde.*

—Espérame, por favor. Voy a peinarme, me marcho contigo al Memorial Union. Cuando salgamos de ver el filme, regresaremos para pasar la noche juntos.

—Seguro que has querido decir que intentas rodar en tu propia casa una película.

—Tu imaginación me conmueve tanto como tus manos sobre mi piel.

—¡De hiena!

—La hiena no es un felino, y yo lo soy. Es un carnívoro fesipedio y yo una gata de angora, y como tal necesito que me acaricien.

—Péinate. Iremos al cine club y a cenar, si lo deseas. Luego, ya veremos.

Con una increíble velocidad rayana en el atropello y en la locura, Betty entró y salió del baño tras haber transformado su melena en una cola de caballo sujeta por una cinta de raso azul. Luego, cambió sus zapatos de altos tacones por unas botas de cow-boy, se enfundó en un anorak con falso cuello de zorro plateado y se enganchó de mi brazo. Media hora más tarde nos encontrábamos en la penúltima fila del cine club contemplando no *La Ronde*, de Gérard Philipe, pese a estar anunciada su proyección, sino *El submarino amarillo*, de los Beatles. Como era habitual, rara vez se daba en la pequeña sala de cine universitario el filme previamente programado. Betty se encontró encantada, sin embargo, del cambio.

* * *

—¿Y qué haremos ahora? —me preguntó al abandonar el local, mientras nos dirigíamos al coche que había dejado aparcado frente a la antigua capilla de la universidad, con su torre nórdica de madera pintada de blanco y techada de zinc.

—La melancolía de una tarde de otoño en Iowa City obliga inevitablemente, tan cercana ya la noche, y tú lo sabes, a emborracharse y terminar haciendo el amor, a asistir a una proyección cinematográfica, a la lectura de un poeta local o de un extranjero del Curso Internacional en una librería o a pegarse un tiro. Naturalmente, prefiero hacer contigo el amor.

—Eres igual que Robert. Ni él ni tú soportáis el Medio Oeste. Por supuesto, que ésta es una ciudad bastante deprimente, pero para algo está la magia. He aquí por qué gozamos de una magnífica clientela que nos proporciona unos razonables ingresos.

—La magia y la marihuana.

—¿Quieres que vayamos a fumarla a casa de unos amigos?

—Mi cultura es alcohólica.

—Lo alternaremos. Viven en pleno centro. Concretamente en los altos del Best Steak House.

—Por favor, Betty, conozco ese apartamento frecuentado por dos compañeros del curso.

—¿Viven también en el Mayflower?

—Exactamente en el séptimo piso.

—Y te parecen, claro está, sospechosos del asesinato de la filipina.

—Eso no significa nada. Yo también lo fui. Sucede que quedé pronto descartado porque la noche de la aparición del *fantasma* me encontraba en Grinnell.

Habíamos subido los dos al automóvil y, a quince millas por hora, discurríamos por la avenida Dubuque Norte camino de la nada, porque no sabíamos a dónde dirigirnos. El cielo se había súbitamente encapotado y comenzó a caer una mansa y fina lluvia. Los reflectores que iluminaban la dorada cúpula del Antiguo Capitol proyectaban sobre las nubes bajas su plateado reflejo de mercurio y el asfalto espejeaba de reflejos violetas.

—No sabía que conocías Grinnell. Tengo allí una excelente amiga con la que suelo verme un par de veces al mes. Está casada con un maderero de Newton.

—Y se llama Clara.

—¿La conoces? Me dejas sorprendida.

—Me la presentaron en un cóctel que me dieron tras una charla en el College. Ella suele frecuentar el campus.

—Supongo que harías con ella el amor.

—¿Cómo iba a hacerlo? ¿Estás loca?

—¿Cómo voy a estarlo? Es de sobra conocida su ninfomanía. Normalmente, y no creas que te miento, es muy raro el conferenciante que pasa por el Grinnell College, exceptuando los ancianos, que no la hayan recibido en su cuarto del hotel, la antigua casa del rector. Como no eres un anciano, está claro que la subiste a tu habitación. ¿Quieres que la telefonee y se lo pregunte?

—¿No te basta mi palabra?

—Si lo aseguras, me veo obligada a creerte. Ahora que de lo que no me cabe la menor duda es que, inevitablemente, habrías subido ya a tu cuarto a otra cuando ella llamó con toda certeza a tu puerta, como es en Clara costumbre.

—No —le contesté para cortar la disputa—. ¿Puede saberse dónde vamos a ir?

—Primero a cenar en cualquier sitio. ¿Qué te parece un restaurante mexicano?

—Prefiero un italiano.

—De acuerdo.

—¿Y a continuación qué?

—Volvemos a casa. Ya te dije que deseo pasar la noche a tu lado.

—Charlando en el sofá, ¿no?

—Como prólogo. Luego terminaremos en la cama.

—¿Me lo prometes?

—Te lo prometo. Allí podíamos estar ya acurrucados de no haber salido de casa.

Tras cenar una pizza *caprichosa* y una frasca de rossé en el restaurante italiano de la avenida Clinton —donde, según Betty, los duendes juegan en la madrugada al Jack-Back y las hadas se reúnen las mañanas de los sábados para decidir cuántas universitarias autorizarán a perder la noche del fin de semana la virginidad—, regresamos a la avenida Muscatine. Inexplicablemente, el vecino cementerio Memory Gardens (Los jardines del recuerdo) se hallaba iluminado de trémulas lucecitas azules.

—¿A quién se le ocurre encender lámparas sobre las tumbas a estas horas? Por un momento he pensado que me encontraba en el cementerio Staglieno, de Génova, aunque allí los guardabrisas sean rojos —dije a Betty.

—A los propios difuntos. ¿Quién iba a hacerlo? ¿No has advertido que se trata de fuegos fatuos?

—Con independencia de ser la primera vez que los veo, me cuesta trabajo crer que en un país como éste, tan desodorizado, los cadáveres desprendan metano e hidrógeno fosforado. Soléis embalsamarlos a todos al pasar por la funeraria.

—Nada tienen que ver los fuegos fatuos con el cuerpo. Se trata de las *luces del alma* —me respondió Betty—, por lo que, en vez de hacer el amor, inmediatamente me veré obligada primero a convocarlos desde el velador. Quizá ellos pueden orientarnos sobre la identidad del fantasma del Mayflower, porque posiblemente de un verdadero fantasma se trata, aunque tú, Robert, el sheriff y el FBI penséis que se trata de un ser viviente. ¿Qué te parece?

—¡Magnífico! —le contesté, en cuanto mi curiosidad por verla actuar como adivinadora era tan intensa como mi deseo de poseerla. La conversación que habíamos mantenido una hora antes mientras cenábamos me llevó a hacer pensar que subconscientemente Betty era dueña de dos caras, como Jano, o mejor dicho, de dos personalidades yuxtapuestas y que, probablemente, una de ellas estaba íntimamente ligada a una masculinidad que intentaba disimular con la otra, evidentemente femenina. Mientras los hilos de queso de la pizza quedaban enganchados de sus dientes de ardilla, Betty observaba con idéntico entusiasmo a los efebos y a las doncellas. Quedando sus ojos prendados de blusas, faldas, pantalones, bustos y braguetas. Habíamos tratado multitud de temas, pero lo que más llamó mi atención fue su alto nivel de fantasía. No sólo me aseguró que los duendes llegados de los bosques y de las praderas jugaban cada madrugada al Jack-Back y al pinacle y que las hadas discutían el número exacto de pérdida de virginidades que debían ser aceptados aquella noche, sino de los ratones disfrazados de guerreros medievales y de las ocas vestidas de piratas —como en un cartón de Disney— que descubría cada vez que subía al desván.

—La verdad es que no esperaba que aceptaras mi propuesta. Pensé que me dirías adiós, como esta tarde. Siéntate. Voy a preparar el *decorado*. ¿Quieres tomar algo?

—Nada.

Tras apagar las luces del salón, Betty desapareció en el baño. Descorrí la cortina del ventanal unos centímetros para contemplar, al otro lado de la avenida, la suave colina sin verja ni tapia donde se alzaban las características lápidas verticales, en arco, del cementerio. Inexplicablemente, las luces de los fuegos fatuos habían desaparecido de la escena. Quizá el viento del norte que silbaba ahora entre las hojas de los árboles del acerado y los rododendros de los setos impedía a las trémulas llamitas alzarse entre los tiernos tallos del césped. Transcurrió casi un cuarto de hora antes de que Betty regresara al salón desnuda. Y, naturalmente, no celebramos ninguna sesión de espiritismo.

Cuando desperté al amanecer, tendido aún en el sofá y arrebujado en una desflecada manta, descubrí que Betty no se encontraba en la casa. Tras darme una ducha antes de partir también, para asistir a una reunión del curso en el Lemme School, descubrí sobre el velador una nota escrita por ella en la que no se limitaba a sugerir, sino a afirmar, el nombre del asesino del Mayflower. Resultándome por supuesto ridículo que culpara al egipcio Mohamed Hani Kamal.

SIETE

CITA EN DES MOINES

ACABABA DE REGRESAR a mi apartamento del Mayflower desde el Lemme School y, en el momento justo en que me disponía a salir de nuevo, sonó el teléfono:

—¿Mister Gentile?

—¿Quién es?

—El hombre de Omaha.

—¿Puedo saber qué desea de nuevo de mí el FBI?

—Estoy intentando comunicar con usted desde ayer tarde. Inútil empeño. Luego volví a llamarle por la noche y, por último, de madrugada; pero por lo visto es raro encontrarlo en la residencia a determinadas horas relacionadas con la posibilidad de hacer el amor.

—En efecto.

—¡Ah! ¿Pero es así? Le hablaba en broma.

—¿Quiere decirme qué es lo que desea?

—Verle. Y a la mayor brevedad posible.

—De acuerdo. Quedamos citados de aquí a un par de horas en el centro. Tengo que pasarme por el First National Bank. Espéreme en el bar Mickey. Lo que no estoy dispuesto es a que nos encontremos en el Antiguo Capitol.

—Perdone, no estoy en Iowa City, sino en Des Moines.

—¿No pretenderá que me desplace ciento doce millas para verle en la capital del Estado?

—No le queda otro recurso: un senador quiere tener una entrevista con usted.

—Mire —le contesté—: en primer lugar, ya me ha dado usted bastante la lata y, la próxima vez que quiera interrogarme, le ruego que me enseñe un mandamiento judicial, como es preceptivo. En segundo, me niego rotundamente a desplazarme a Des Moines. Tras la muerte de Anna Meredith en esa ciudad, no estoy dispuesto a poner más los pies en ella. Sufriría una depresión que no estoy dispuesto a soportar. Al parecer, como en un lienzo de Valdés Leal, la muerte me persigue por todas partes. Sin ir más lejos, anoche me vi obligado a contemplar luces de fuegos fatuos en el cementerio Memory Gardens.

—Lo imaginaba, pero no creo que eso tenga la menor importancia. Suele suceder a lo largo del otoño indio en casi todos los cementerios de la Gran Pradera debido a las condiciones climatológicas.

—¿Cómo que lo imaginaba?

—Naturalmente. En cuanto sabía que ha pasado la noche en casa de Robert Dominguez y de su compañera, la inefable Betty.

—Luego estoy controlado por el FBI.

—Por la policía local. Como todos los componentes del Programa Internacional que habitan en el Mayflower. Le ruego, pues, que venga a Des Moines. Caso que se niegue, podría, por supuesto con un mandamiento judicial, hacerlo detener. ¿Qué me responde?

—Que no me queda otra solución. ¿O sea que continúo siendo sospechoso del asesinato de Melania Schoech?

—No exactamente. Pero su posible complicidad está aún por aclarar. Vamos a ver: ¿conoce bien Des Moines?

—Naturalmente.

—¿Sabe dónde se encuentra el Des Moines Art Center?

—He estado allí sólo una vez, pero recuerdo su emplazamiento y no creo que me sea difícil llegar a él.

—Le espero en el *hall* a las cuatro en punto. Son las diez y media. Tiene tiempo sobrado para coger el bus o venir si lo desea en su propio automóvil.

* * *

La imposibilidad de sobrepasar las cincuenta y cinco millas de velocidad me impulsaron a acelerar mi salida viéndome obligado a telefonear antes de partir para Des Moines a Paul Engle, el consultor del Curso Internacional, para comunicarle que no podría asistir al almuerzo que se celebraría en Coralville en homenaje al condiscípulo del Programa llegado de Varsovia para dar una charla sobre el sindicato Solidaridad.

—Supongo que podrás justificar tu ausencia —me contestó—. Caso contrario, no podré autorizarte a dejar de asistir.

—Telefonea al sheriff. Él te explicará.

—¡Cómo! ¿Acaso te encuentras en la cárcel?

—Al parecer, me internarían efectivamente en ella si me niego a acudir a una entrevista que ha concertado conmigo en Des Moines un senador. He de estar en la capital a las cuatro.

—No comprendo nada. En fin, de acuerdo, tienes mi autorización. Te deseo un feliz viaje.

—Gracias. Mañana espero estar de vuelta. En cuanto regrese me pasaré por tu despacho para informarte de la entrevista.

—No estás obligado a hacerlo. No obstante, te lo agradeceré. Ya que es mi obligación estar al corriente de las aventuras, no amorosas, vividas por mis *discípulos* —me respondió Paul.

* * *

Granjas, molinillos de viento metálicos para elevar el agua de los pozos artesianos; silos, empacadoras, tractores, yeguas con las sedosas crines al aire de la pradera color verde esmeralda; el gualda, el azul pavo real, el blanco y el naranja en las vallas; y, en los cobertizos, el rojo Suecia, una constante llena para mí de recuerdos de la dulce Sverige. La mañana se estremece de ánades migratorias que discurren, este-sudoeste, a quizá mil metros de altitud gritando que se marchan a Colorado, a Nuevo México, a Nevada, a Arizona, a California. Dos horas y media de viaje a cincuenta y cinco millas por hora por la Interstate Route Marker, la autopista número ochenta que cruza horizontalmente, a la altura del paralelo cuarenta, la federación americana.

A las tres y veinte alcanzaba el norte de la capital del Estado y, un cuarto de hora más tarde, estacionaba en el aparcamiento del Des Moines Art Center, en cuyas arcadas un gran póster anunciaba una exposición de esculturas de Rodin, de David Smith, de Duchamp-Villon, de Giacometti y de Moore. Abrigado con una chaqueta de piel de cordero y tocado con un sombrero stetson, el hombre de Omaha esperaba mi llegada junto a la balaustrada de la escalinata con los brazos cruzados y un cigarro de Tampa entre los dientes; imagen más de sheriff local que de agente del FBI.

—¿Cómo se le ha dado el viaje?

—Perfectamente.

—Dejaremos aquí aparcado su auto y nos dirigiremos en el mío al Capitol.

—Siempre el Capitol. ¿Viejo o nuevo? ¿No podía verlo en otro sitio?

—Es allí donde el senador tiene su despacho.

—De acuerdo. No obstante, antes he de buscar hospedaje. Y quiero decirle que quiero un hotel del centro.

—Le he reservado habitación en un motel.

—Odio los moteles. ¿Quién va a abonar la cuenta de mi estancia?

—¡Usted, por supuesto!

—Entonces buscaremos un sitio acorde con mis gustos.

—Los hoteles son excesivamente caros en Des Moines. No sea absurdo y acepte la reserva que le he hecho. La diferencia será de setenta y cinco dólares. El motel que le digo se encuentra a dos pasos —dijo señalando una arboleda dorada situada al oeste del Art Center—. Si desea cambiarse y dejar allí su valija, démonos prisa. Suba a su auto y sígame.

Sólo media hora más tarde, y después de haberme vestido medio decentemente, nos encontrábamos frente al *catedralicio* edificio de ladrillos, escayolas, bronces, mármoles y cúpulas verdes turquesa con trenzas doradas, del Capitol, un verdadero *pastel* de bollería anglo-germánica-eslava abierto a la curiosidad y el asombro de un centenar de geriátricos turistas que acababan de bajar de dos autobuses aparcados en los caminos asfaltados que circundan la explanada de la plaza.

—Supongo que conocería ya esta maravilla arquitectónica

—¿Maravilla?

—Miles de turistas vienen cada semana a contemplarlo. ¿No le gusta?

—He de reconocer —contesté al hombre de Omaha— que comparado con su entorno representa, sin duda, un testimonio artístico, pese a su ausencia de estética y armonía, pero nada más.

—Cada cual es dueño de pensar lo que quiera. No olvide que fue construido hace más de un siglo. Y un siglo es tanto para nosotros como para los europeos mil años. Por dentro, seguramente, le gustará más. Además, por si fuera poco, tendrá el honor de contemplar en el *hall* una gran maqueta del acorazado *Iowa*, verdadera maravilla técnica para su época, la segunda guerra mundial.

Cuatro policías, uniformados de verde y negro, custodiaban la escalinata de entrada. El hombre de Omaha les saludó alzando la mano derecha y les indicó que no me solicitaran la documentación, lo que era preceptivo y se veían obligados a mostrarles incluso los turistas recién llegados, que ya comenzaban a formar en fila india para entrar.

* * *

Mucho más joven de lo que imaginaba, entre los treinta y cinco y los cuarenta años, el senador John S. Monroe se levantó de la mesa de su despacho, de caoba, cedro y nácar, con espejeante tapa de mármol verde cúprico, y, tras ofrecernos la mano, nos hizo sentar en el sofá chester, mientras él lo hacía en una gran butaca de orejeras.

—Supongo que mister David Benton, el agente federal aquí presente —me dijo el senador señalando al hombre de Omaha—, lo habrá puesto al corriente de la razón por la que lo he hecho venir a Des Moines; quería ahorrarle un viaje hasta Washington, en cuanto mañana a primera hora regreso a la capital federal y tenía que verle o en un lugar o en otro.

—No me ha puesto al corriente de nada; aunque me sugirió por teléfono que mi entrevista con usted se debía al asesinato en la residencia Mayflower.

—¡Qué tontería! Aunque, naturalmente, he de admitir que aparentemente la cuestión es ésa.

—Usted dirá.

—David —preguntó el senador Monroe al hombre de Omaha—, ¿mister gentile ha sido ya acomodado en un buen hotel?

—Por supuesto, señor —respondió el agente federal.

—En un modestísimo motel. Pero, en fin, ése no es problema que me afecte. Al fin y al cabo soy yo quien tiene que abonar la factura de mi estancia, aunque permaneceré en Des Moines sólo una noche.

—Usted no tiene que abonar nada. Ha venido a la capital invitado por una División del Gobierno.

—No se preocupe por eso, le escucho. Dígame qué desea de mí.

—Me temo que lo sospecha.

—En absoluto.

—La cosa no puede ser más clara. Deseamos su colaboración para descubrir algunos extraños sucesos relacionados con el crimen del Mayflower. A partir de este momento, y mientras permanezca usted en el Programa Internacional, cobrará usted una subvención de quinientos dólares semanales. ¿Está de acuerdo?

—Lo estoy. Pero me niego a cobrar nada.

—Le agradezco su caballerosidad y su gentileza; piense, no obstante, que probablemente se verá obligado a desplazarse a diferentes lugares y que la misión le acarreará una serie de gastos a los que no podrá hacer frente con lo que en el Programa le pagan. David, entréguele a mister Gentile el talón correspondiente al primer mes —dijo al agente del FBI y, a continuación, tras dirigirse a su mesa de despacho, me indicó la necesidad de firmar un recibo por la totalidad del importe.

—Como puede comprobar —aseguró—, el recibo expresa los honorarios en razón de distintas conferencias ya *dadas* o que *dará*, concretamente en Marquette University, las universidades de Pittsburgh, de Arizona, de West Virginia... Como ha de suponer, no hacemos ninguna referencia a que se encuentra trabajando para los servicios de información.

—¿La CIA?

—No, por Dios.

—Si la CIA no interviene en este asunto, quiere decirse entonces que se trata de un servicio relacionado con el FBI.

—Sí y no; pero eso no creo que le incumba.

—Perdone, pero me incumbe.

—Cuando David Benton le ponga al corriente de la operación a realizar se dará cuenta por dónde van los tiros. Y ahora le ruego me dispense; esta tarde tengo aún pendientes cinco audiencias. Me alegra haberle conocido personalmente y que haya aceptado nuestra propuesta. El Gobierno le agradece su colaboración. Por favor, David —dijo luego John S. Monroe al hombre de Omaha—, lleve a mister Gentile a un hotel del centro y sáquelo de nuestra residencia. No es preciso que queden grabadas las conversaciones que sostenga con él en su habitación como pretendía hospedándolo en el motel Windson, donde en todas las estancias tenemos instalados micrófonos.

Al abandonar el Capitolio, la lluvia —siempre la lluvia, mansa y constante de los atardeceres de otoño, justo en el momento del ocaso— daba una celeste luz de acuarela a los árboles, a los parterres, a los senderos enarenados, a las piedras de las escalinatas, a los carteles de señalización, a los automóviles y al asfalto.

—Recogeremos su valija del motel Windson y se instalará en el Regency Hotel. Y le ruego no se moleste conmigo por mi anterior decisión. Me limité a cumplir las normas habituales. Naturalmente, su caso es una excepción —me dijo David Benton, ya al volante de su coche.

—Espero haya llegado la hora de que me explique en qué consiste la operación y cuál es concretamente el trabajo que tengo que realizar.

—Es algo un tanto complejo y demasiado largo para explicárselo ahora. Lo haré esta noche, durante la cena a la que le invitaré en el restaurante Sioux.

—¿Cocina sioux?

—Claro que no, cocina mexicana, pero excelente.

—¿No me puede adelantar nada?

—Bueno; sí, algo, claro está. No se trata de ningún secreto. Piense que hay que partir del *fantasma* del Mayflower, pero el verdadero problema es otro. El asunto es mucho más complejo, ya se lo insinuó el senador.

—Lo único que me preocupa —le contesté – es la posibilidad de ser también asesinado, ya que estoy seguro de que si no corriera ningún riesgo como colaborador seguramente no me pagarían nada por mi *trabajo*.

—El riesgo no es de usted. Son otros componentes del curso los que se están jugando la vida sin saberlo, por razones que le contaré durante la cena.

OCHO

EL LENGUAJE DE LAS FLORES

A MI REGRESO AL PROGRAMA INTERNACIONAL dos días más tarde, la situación en el curso era para sus componentes desesperada. Todos habían recibido anónimos amenazantes, testimonios que entregaron al sheriff para realizar sobre ellos una investigación; las que aún no habían sido iniciadas en cuanto Washington había ordenado que se le remitieran urgentemente para someterlas a un chequeo de comprobación en la capital federal.

La temperatura en Iowa City había continuado bajando. Al atardecer y tras la caída del sol, las nubes de formación vertical sometían a la Gran Pradera a una fina y helada lluvia, a punto casi de granizo, precipitando la caída de las doradas hojas de parques, bulevares y avenidas. Apenas corrían ya las ardillas por el césped bajo los abetos del ajardinado entorno del Antiguo Capitol. Paradójicamente, fui el único componente del Programa que no recibió ningún anónimo, lo que provocó en el sheriff una gran extrañeza; viéndose, naturalmente, obligado a telefonearme para que mantuviéramos cuanto antes en el comisariado una entrevista.

La conversación que mantuve con David Benton durante la cena que tuvimos en el restaurante Sioux situado a un par de millas del aeropuerto municipal de Des Moines —donde nos sirvieran una pésima comida mexicana— resultó para mí completamente inexplicable, en cuanto se limitó a contarme una serie de anécdotas de su vida privada que poco tenían aparentemente que ver con la promesa hecha antes de ponerme al corriente de la misión que me encomendara el senador John J. Monroe. Al parecer, era yo el que debía captar entre líneas los puntos clave de la operación y transformar en datos concretos todo lo abstracto que encerrara aquella charla.

No obstante, fui capaz de descifrar algunas insinuaciones coincidentes con mis puntos de vista y que acabarían por servirme para completar algunos datos por mí ya adivinados antes de mi viaje. Por ejemplo, mientras hablaba de su mujer o de sus hijos, de su afición al tenis, a las carreras de caballos, a sus días de guarnición en Frankfurt como teniente de transmisiones, se dejaba caer con algunas referencias con respecto a la política del Cono Sur, muy particularmente de los problemas que tenían en Buenos Aires los funcionarios de los servicios de información de la embajada norteamericana. Quizá en aquel momento, mientras conversábamos, hubiera sido preferible que la música del hilo musical fueran tangos y no baladas del Medio Oeste.

En definitiva, *un gato de porcelana, y todo a media luz, a media luz los dos*. Pero, naturalmente, en vez de dirigirme mentalmente a *Corrientes 348*, decidí de nuevo conectar con Robert o con Betty. Logré descubrir en el acto a la *pitonisa*, tras mi llamada por teléfono a la avenida Muscatine:

—Alberto, querido, tu llamada me hace feliz. Me encontraba tan sola...

—¿No está contigo Robert?

—¿Él? Pero si ya le conoces. Rara vez pasa consulta en el gabinete de casa. Se limita a viajar para dar consejo a los clientes que tiene repartidos por todas las granjas del Estado, única forma, por otro lado, lo comprendo, de obtener unos ingresos medianamente decentes. ¿Querías verle a él o a mí?

—Te prefiero, Betty. He llamado para ver si estabas y hacerte una visita de aquí a una hora.

—Gracias, te espero. Ya te he hablado de mi soledad.

—¿Entonces estás de acuerdo en recibirme?

—¿Cómo no habría de estarlo? Y si en vez de una hora tardaras media, mejor. Cenaríamos juntos y luego... Me encuentro tendida en el sofá tomando gin y oyendo música. ¿Es que no la escuchas? Pero ante tu llegada pasaré a la cocina y prepararé una salsa de manzana para añadir al pavo asado que guardo en el refrigerador.

—¿Pavo? ¡No, por favor!

—De acuerdo, el caso es que vengas con urgencia. Puedes tomarte unas hamburguesas.

—Es algo que también detesto —le respondí.

Tras colgar el teléfono abandoné el Mayflower, subí al auto y me dirigí a la avenida Muscatine. Por fortuna no surgían ya fuegos fatuos de las tumbas del cementerio Memory Gardens. Betty salió a recibirme con una copa en la mano vestida con un kimono de seda japonés y una redecilla sobre la cabeza que ajustaba sus rulos de plástico celeste. Pese a no estar arreglada ni maquillada, continuaba deseándola. Sin bragas, sin sujetador, descalza. Sólo el kimono japonés con gladiolos blancos y mariposas color cereza ajustando su cuerpo vikingo.

Tras sentarnos en el sofá, le rogué que pusiera en el tocadiscos música de Río de la Plata, si la tenía.

—Pues ¿no la voy a tener? Me encantan los tangos y las milongas. Y no creas que es debido a Robert, como supongo imaginas. Esa música, junto con las flores y con su lenguaje, de la que soy una especialista, son mi debilidad.

—¡Ah! ¿Pero tienen un lenguaje las flores?

—Naturalmente. ¿No lo sabías? Por ejemplo, el crimen está representado por el tamarisco.

—Ignoro lo que es el tamarisco. Explícamelo.

—Pues, vamos a ver, creo recordar que se trata de un arbusto de poco más de tres metros de altura, de corteza roja con flores pequeñas, caliz encarnado y pétalos blancos.

—Podían haber dejado esa flor en el cadáver de Melania en vez de la oreja izquierda de un gato de porcelana.

—¿Para que maúlle el amor? ¿O es que no maulló el amor?

—Probablemente.

—Si el símbolo del crimen es el tamarisco; el del amor es el mirto; el de la arrogancia, el girasol.

—¿Y el del asesinato? No el del crimen, el del asesinato, te pregunto.

—La oreja de oso, una flor bellísima, por lo cual no es de extrañar que en el cadáver de Melania dejaran la de un gato de porcelana, por error.

—Dime: ¿cuál es la flor símbolo de la astucia?

—La barba de zorra.

—¿Y el de la envidia?

—La flor del café.

—¿Y el de la desesperanza?
—La retama.
—¿Y el de los celos?
—La rosa amarilla.
—¿Y el del destino?
—El cáñamo.
—¿Y el de la venganza?
—Lo ignoro. La venganza no tiene símbolos en el lenguaje de las flores.
—Dime entonces cuáles son los de la ingratitud, la injusticia y la locura.
—Pues exactamente la higuera de Bengala, el lúpulo y la flor de pelícano.

* * *

Cuando sobre las nueve de la mañana del día siguiente abandoné la casa de Betty, tras habernos dedicado a practicar a lo largo de la noche las más difíciles formulaciones eróticas del Kamasutra, en vez de regresar al Mayflower —donde me hubiera visto obligado a asistir, como era habitual, a una mesa redonda literaria, concretamente a la de los países orientales: China, Japón, India, Pakistán, Indonesia y Malasia—, decidí dirigirme a la comisaría para entrevistarme con el sheriff, que me recibió con una sonrisa en los labios.
—Disculpe —me dijo nada más entrar en su despacho— que le tratara a veces incorrectamente. Pero ignoraba que pertenecía usted a los servicios de información del gobernador del Estado, lo que para mí significa verme obligado a tratarle como un colega, pese a ser extranjero.
—Yo no pertenezco a ningún servicio —le respondí.

—Muy bien dicho, compañero. Es normal. Ningún agente está obligado a decir que lo es aunque fuera torturado.

—Por favor, cómo se le ocurre pensar que un componente del Programa Internacional pudiera pertenecer a los servicios de información. ¿Podría indicarme quién le ha sugerido ese disparate?

—No se trata de ningún disparate. He recibido un télex de Des Moines en el que se me indica estoy obligado a ponerme a su disposición en ciertos aspectos que usted no ignora.

—Demencial historia, ya que en el momento que usted conoce mi relación con el Gobierno del Estado he dejado prácticamente de pertenecer a eso que usted llama servicios de información o de inteligencia. Quiero de todas formas aclararle que no se trata de lo que usted imagina, o al menos en la medida que lo hace. Ciertamente hay algo.

—Posiblemente sólo relacionado con el caso Melania, pero evidentemente no a niveles de sustituirme en la investigación sobre el crimen, algo que no permitiría, sino de averiguar ciertos aspectos de la personalidad del criminal, lo cual es distinto.

—En efecto. En manera alguna he pretendido sustituirle.

—Gracias. Ha sido exactamente para aclarar este punto para lo que lo he llamado y no por el hecho de no haber recibido usted un amenazante anónimo como el resto de los componentes del Programa. Anónimo que, aunque no lo haya encontrado en el buzón de su correspondencia, también le fue enviado. En efecto, la diferencia con las otras cartas ha sido notable. A todos se les amenazaba, pero a usted le adjuntaron dentro de la carta una *esquela mortuoria*; quiero decir un folio explosivo que le hubiera enviado al abrir el sobre a los infiernos.

Me quedé lívido. Saqué la cajetilla de cigarrillos y encendí uno con la mano trémula. El sheriff continuó:

—La carta le llegó, como a todos los otros, la misma mañana; pero se encontraba usted en Des Moines. Y sospechando que en su caso concreto más que una simple amenaza era la muerte lo que le enviarían, me permití que nuestra patrulla antiexplosivos interviniera su correspondencia y realizara las pertinentes averiguaciones técnicas sobre su posible contenido.

—Le agradezco su gentileza —le respondí— y ahora, con independencia de mi total agradecimiento ante su actitud, le ruego me indique por qué en mi caso concreto pensó que en vez de un anónimo me hubiesen enviado una bomba.

—Muy sencillo. Estaba seguro que sería usted la próxima víctima, ya que el asesino de Melania Schoech conoce sin duda sus aficiones detectivescas y teme que usted pueda descubrirle. Gran error, naturalmente, porque la auténtica pista la tenemos nosotros, la policía local, y no usted. Una cosa es, y lo acepto, que haya sido nombrado agente de los servicios de información, política o sociológica, lo ignoro y es algo que ni me importa ni me afecta. Y otra el descubrimiento del asesino de Melania Schoech y del intento habido contra Ersi Sotiropoulou, ya que esto nos corresponde sólo y exclusivamente a nosotros y ni siquiera al FBI, no digamos, pues, a usted, mister Gentile.

* * *

Asegurar que la última noche que pasé con Betty la dediqué única y exclusivamente a poner en práctica las formulaciones eróticas del Kamasutra sería como afirmar en aquella ya pasada época en que una joven sólo admitía ser acariciada de arriba abajo en las últimas filas de butaca de un cine, que ni ella ni su galán habían cogido, aunque fuera por los pelos, parte de las escenas de la película que habían ido a ver. En la cama no sólo se hace el amor, sino que se bebe, se oye música, se conversa, se cuentan historias y se descubren, en ocasiones, secretos levantando ese séptimo velo que cubre la intimidad de cada ser humano. Así pues, en el transcurso de la noche tuvimos ocasión de cambiar impresiones sobre los distintos puntos de vista respecto al crimen del Mayflower.

—Siendo como aseguras ser una verdadera pitonisa, supongo que ya mentalmente conoces el nuevo nombre del asesino.

—Sólo mentalmente, en efecto —contestó Betty.

—Dímelo. Asegurar que fue Hani Kamal me resultó absurdo.

—Mi querido Alberto, una chispa mental no es nunca una referencia real. A la bola de cristal de bruja de mi cerebro han llegado nuevas rosadas nubes, soplos, reflejos de un rostro, pero aún no he sido capaz de concretarlo exactamente. Por otro lado, piensa que yo desconozco a los sospechosos del Programa Internacional, habitantes del séptimo piso de la residencia universitaria. Tendrías que presentármelos a todos, y yo hablar con ellos, conversar largamente, cambiar impresiones, analizarlos psicológicamente desde mi magia y, luego, al cabo de unos días, quedarme transida. Y es sólo a partir de entonces cuando te diría el nombre del asesino.

—Pero eso es imposible. No puedo presentarte a ninguno.

—La magia tiene sus reglas inexorables. Sin ellas, es imposible cumplir mi papel de adivinadora.

—No obstante, me has dicho que hay algunos aspectos *mentales* y sobre ellos quisiera interrogarte. Por ejemplo, ¿dé qué color tiene los ojos?

—Lo ignoro. Esos ojos cuyo color quieres conocer me llegan siempre cubiertos por unas gafas oscuras.

—¿De sol?

—En efecto.

—No me digas. Hace concretamente dos meses que el astro rey no se deja ver por la Gran Pradera y no conozco a ningún componente del Programa Internacional que las use.

—¡Eso no quiere decir nada! Si me han llegado, es que efectivamente las utilizaría si hubiera sol.

—Ése es un dato que no me aclara nada. Tiremos por otros caminos. Contéstame. ¿Su pelo es corto o es largo?

—Largo.

—¿Muy, muy largo?

—Razonablemente largo, te diría yo.

—¿De qué color: rubio claro, rubio oscuro, negro, castaño, ceniza, pelirrojo?

—El color de sus cabellos es indefinido.

—¿Ralo, ondulado, rizado?

—Son unos cabellos en ondas. Por tanto, te diría que ondulados.

—¿Cuál piensas que es el color de su piel?

—Yo te aseguraría que se trata de la conjunción de una mezcla de razas, aunque descarto que sea ni indio ni negro.

Hasta muy próximo el amanecer no volvimos a tratar el tema. Ululaban los búhos en las copas de los árboles del cercano cementerio y, pese a la distancia que nos separaba de él, llegaban hasta nosotros las campanadas de las horas, las medias y los cuartos del Antiguo Capitol. El fuel-oil que alimentaba la calefacción habíase por lo visto consumido de tal modo que la temperatura había bajado en la alcoba casi quince grados. Tiritantes, hacíamos el amor prácticamente envueltos en el fino edredón color rosa que cubría la cama matrimonial donde cinco horas antes nos encontrábamos tendidos, destapados y desnudos.

Ante el frío casi total que terminó por embargarnos, Betty me suplicó que fuera al salón por una botella de kentucky y encendiera en la cocina la cafetera eléctrica para que pudiéramos tomar unas tazas de café. Tras hacerlo, servírnoslo en la propia cama y bebernos un par de whiskis cada uno, entrando por fin en calor, continuamos conversando sobre el asesino del Mayflower. Curiosamente los puntos de vista de Betty y míos eran coincidentes, aunque me limitaba a confirmar algo de lo que ya estaba plenamente convencido.

—Naturalmente, no creo que me lo puedas contestas; no obstante, te lo pregunto: ¿ha llegado de nuevo algún dato complementario a la bola de bruja de tu cerebro para indicarme la posible nacionalidad del asesino? Ya sé que es una pregunta imposible de responder en cuanto si fueras capaz de hacerlo sabrías inmediatamente su nombre.

—No. Sin embargo, durante el corto espacio de tiempo en que me he quedado dormida o, mejor dicho, en que me has dejado dormir, me han sido revelados otros aspectos no menos interesantes que estimo pueden ser definitivos.

—¿Cuáles?

—Te contaré mi sueño: era una mañana de verano. El sol caía de pleno sobre los veladores de un café situados en una terraza frente al mar. Ningún toldo defendía de los rayos solares a un grupo de hombres, todos muy jóvenes, vestidos con trajes invernales, que sorbían limonada de una gran jarra de un par de galones situada en el centro de una de las mesas. De pronto, como si hubieran recibido un aviso volvieron la cabeza hacia el mar. Tras surgir del agua una figura femenina en bikini con los ojos cubiertos por unas gafas de sol, todos se levantaron de la terraza para recibirla y estrecharle la mano.

—Gracias, Betty, perfecto. Has confirmado todas mis suposiciones que, por supuesto, no me eran necesarias. Conozco al asesino del Mayflower.

NUEVE

EL ATESTADO DE LOS *RATONES*

ME ENCONTRABA ALMORZANDO solo en el restaurante La Botella Marrón en cuanto mis relaciones con el resto de los componentes del Programa se habían enfriado hasta el punto de no dirigirnos apenas la palabra, pese a la amistad y al afecto que me habían unido hasta una semana antes con Hani, el poeta egipcio, Børjg, la narradora noruega, Joanna, la poetisa polaca, y Gyorgy, el guionista griego, cuando apareció David Benton, el hombre de Omaha.

—Le he telefoneado al Mayflower, pero ya había salido —me dijo, estrechándome la mano.

—Siéntese, por favor; le invito. Ahí tiene la carta. Pida lo que quiera. ¿Cómo quería encontrarme en la residencia a la hora del almuerzo? Suelo hacerlo habitualmente fuera, ya lo sabe. Verme obligado a comprar en el supermercado, cocinar y fregar los platos es algo que no soporto.

—Tiene razón, a mí también me sucede. Y gracias por su invitación, ya he almorzado; tomaré un café.

—De manera que también come usted fuera de casa, estando casado, cuando se encuentra en ella. Supongo que todo eso, que yo me veo obligado a hacer, corresponde a su mujer.

—Se niega. Últimamente hemos llegado, sin embargo, a un acuerdo. Y cuando estoy en casa compartimos las faenas domésticas. Ella se limita a cocinar, hacer las camas, ir al supermercado y limpiar un par de días a la semana de polvo el salón. A cambio, yo friego los dos baños, corto el césped, vigilo a nuestros dos hijos pequeños, de siete y cinco años respectivamente, ya que los dos mayores no necesitan de nuestros cuidados. Es un acuerdo reciente, de hace apenas un mes... Con anterioridad era yo el que cuando estaba en casa me dedicaba a cocinar.

—Bueno, puede darse por satisfecho. Y ahora dígame: para qué me ha telefoneado y por qué ha venido a verme. ¿Cómo sabía que estaba aquí? Suelo comer en un restaurante italiano.

—Cruzaba la calle Jefferson y le he visto entrar.

—Bien. Dígame, David, ¿qué desea?

—Quiero que cuando termine de almorzar nos encerremos los dos en un despacho del Antiguo Capitol para que me dé su opinión sobre las declaraciones efectuadas por sus compañeros, una copia de las cuales me ha sido facilitada por el sheriff.

—Siempre el Antiguo Capitol. Al parecer es para usted una constante. ¿No podíamos hacer juntos ese trabajo en otro lado?

—Disculpe, reconozco que tengo cierta debilidad por él. Yo diría incluso que le amo. Siendo niño, mis padres vivieron cinco años en esta ciudad y los sábados mi madre solía llevarnos al campus para que correteáramos en bicicleta por los senderos en primavera y en los primeros días de otoño. Aunque era un niño, me maravillaban las doradas piedras de los primitivos edificios universitarios y pensaba que algún día podría subir las escalinatas y entrar en el edificio que creía era la residencia del gobernador del Estado, pese a hacer casi siglo y medio que dejó de serlo. Como usted sabe, fue Iowa City la capital desde mil ochocientos treinta y nueve a mil ochocientos cincuenta y siete. Y en el transcurso de esos años ésa era en efecto la residencia del gobernador. Pese a haber nacido en Nebraska me siento muy vinculado al Estado de Iowa. ¿Sabía usted que este Estado perteneció a España a lo largo de trece meses? Trece, toque madera. Más vale que no lo hubiera dicho. Concretamente de 1788 a 1801. Fue adquirido por Estados Unidos cuando compró la Luisiana. Es un territorio un tanto complejo desde el punto de vista de la Administración. Perteneció primero a Missouri, después a Michigan; por último, a Wisconsin, y hasta el año 1846 no fue de nuevo *independiente*.

La explicación, que en parte conocía, facilitada por David Benton, hizo que cambiaran los supuestos que configuraban la opinión que sobre él tenía. Sus palabras habían proyectado un tono poético que me llenaron de asombro. Imaginaba que un agente del FBI era un simple policía. Me había equivocado. David Benton había estudiado una carrera universitaria y se había especializado en historia de América. He aquí por qué estaba en posesión de tantos datos y tantas fechas, lo que no hubiera sido habitual en un agente federal corriente. A continuación, David Benton me contó parte de la historia de su vida. Se había casado muy joven con una compañera universitaria. Se licenció en la universidad de Chicago. Estuvo en el ejército, como teniente, destinado en una base norteamericana en Turquía. Su aspecto físico poco tenía que ver por tanto con su vida, ni pasada ni presente, y pienso que se veía obligado a adoptar una actitud teatral —como tantos otros norteamericanos— para representar la comedia de su profesión. A partir de la conversación con él sostenida comencé a sentir por David Benton una simpatía que no había tenido hasta aquel momento. Terminado el almuerzo, abandonamos el restaurante y nos dirigimos calle Clinton arriba, hacia el Capitol. La temperatura se había estabilizado. Aunque el cielo continuaba cubierto de nubes bajas y veloces que corrían de norte a sur, había dejado de llover, y las ardillas volvían a corretear por los senderos enarenados y por el césped para terminar por sentarse en cuclillas sobre la hierba y dedicarse con sus pequeñas manitas a descascarillar las semillas antes de llevárselas a la boca.

* * *

En el viejo despacho remozado situado en la planta noble del Antiguo Capitol —alrededor de cuyas ventanas había dejado de extenderse como un tapiz de yedra, cuyas hojas un mes atrás habíanse transformado en trémulas laminillas doradas para desaparecer de la fachada y alfombrar el césped— olía a humo de cigarros de Tampa y a detergente, a insecticida y a orín de gato. Cuatro retratos al óleo de senadores del Estado cubrían la pared maestra alrededor de una antigua litografía de la ciudad. David Benton me indicó que me sentara frente a él en la antigua mesa restaurada, estilo victoriano, donde rebrillaba el metal situado en sus ángulos bajo la luz de la araña de cristal de Bohemia. A continuación, sacó de un portafolio una carpeta color amarillo canario y comenzó a dar lectura a la copia del expediente que le había sido facilitada por el sheriff:

—Declaración formulada por Mohamed Hani Kamal El kadi, de nacionalidad egipcia, poeta, director cinematográfico.

»La noche del asesinato de Melania, compañera de curso por la que sentía un especial afecto y a cuyo lado me había sentado en una butaca del Hancher Auditorium, durante el recital ofrecido por Leontyne Price, a la salida junto a Gyorgy Skourtis y Alberto Gentile, decidimos no subir al autobús de la universidad que había de devolvernos al Mayflower y dirigirnos al centro para cenar en el restaurante Best Steak House. Habíamos pensado, tras la cena, instalarnos los tres en un velador del cercano bar Mickey, pero al vernos obligados a levantarnos al día siguiente muy temprano para asistir a una lectura en el Regina High School, nos vimos obligados a regresar caminando a nuestra residencia. Pienso que serían poco más o menos la una y media de la madrugada cuando llegamos al edificio del Mayflower, y nuestra sorpresa no tuvo límite al encontrárnoslo rodeado por patrulleros de la policía que hacían girar sus faros de balización. Nos enteramos por uno de los agentes que Melania Schoech había sido asesinada. No creo, por tanto, que ni yo ni ninguno de mis compañeros tuvieran la menor participación en el crimen. Es ésta la única respuesta que puedo formular al respecto.

»Por lo que se refiere a la segunda pregunta que me ha hecho, pienso asimismo que tampoco ninguno del resto de los compañeros del curso pueda ser culpado del asesinato. Conociéndolos como los conozco perfectamente a todos, en la medida de las naturales limitaciones por el poco tiempo que llevamos juntos, puedo asegurar sin embargo que todos son inocentes. No entiendo muy bien cómo es posible que en una residencia universitaria donde viven quinientas personas, entre profesores, alumnos, invitados, chóferes, porteros y bedeles, puedan limitarse las sospechas del crimen a sólo trece personas. Cierro con estas últimas palabras mi declaración.

David Benton hizo una pauta, volvió a encender su cigarro de Tampa que se había apagado y continuó leyendo:

—Declaración formulada por Anton Shamas, de nacionalidad israelita, poeta, traductor: la noche que asesinaron a Melania Schoech, de regreso del Hancher Auditorium, donde asistí junto a mis compañeros del Programa Internacional, su consultor y su directora, Paul Engle y Hualing Nieh, al recital ofrecido por la soprano Leontyne Price, me encerré en mi apartamento y, tras una ligera cena, me acosté para ponerme a leer y a escuchar música. Se trataba de la lectura del libro de Henry James *La princesa Casamasina*, para mí la más importante de las novelas del llamado período social de su autor. La música que puse, para oír mientras leía, en el tocadiscos era de Dvorak, concretamente la *Sinfonía del Nuevo Mundo*. Juro que no salí para nada de mi habitación y que hasta que la policía no llamó a mi puerta nada supe sobre la muerte de Melania, persona a la que no me unía ninguna amistad y que no trataba en absoluto, limitándome a saludarla cuando nos encontrábamos o nos veíamos obligados a permanecer juntos durante las actividades del Programa, siempre y cuando ella me saludara a mí primero. Con respecto a su segunda pregunta, estimo que ninguno de los compañeros de curso es culpable de su asesinato. En mi opinión, han podido ser otras las razones del crimen; posiblemente se tratara de una venganza, ya que era una oriental. Pienso, por otro lado, y no deja de ser una opinión muy particular, que nada tiene que ver el asesinato de la filipina con el intento anterior contra Ersi

Sotiropoulou, perona a la que sí me une una gran amistad.

—¿Qué le parece? —me preguntó David Benton.

—Muy interesante. Continúe, por favor. Como ve, estoy tomando nota y al final de todas las declaraciones le daré mi opinión.

—De acuerdo, continúo: Declaración formulada por Joanna Salomon, nacionalidad polaca, poetisa, doctora en medicina; especializada en el aparato respiratorio:

»De vuelta del Hancher Auditorium para asistir al recital de Leontyne Price, me encerré en mi apartamento para inmediatamente acostarme. Sentía un terrible dolor de cabeza que no fuera capaz de quitarme la aspirina que tomé antes de meterme en la cama. En vista de que no podía quedarme dormida volví a levantarme, me hice en la cocina una taza de té y comprobé desesperada que me había quedado sin cigarrillos. Siendo como soy una fumadora empedernida, decidí bajar al vestíbulo para sacar una cajetilla de la máquina de tabaco. Así pues, volví a vestirme y salí al corredor para tomar el ascensor. Ya en el pasillo, y tras encender las luces del automático, descubrí una figura femenina tendida en el suelo a la altura del apartamento de Gyorgy Skourtis. En principio imaginé que se trataba de una persona embriagada que se había dejado caer en la moqueta. Rápidamente, movida por mi inevitable impulso como doctora en medicina que soy, me dirigí a ella y asombrada descubrí el cadáver de Melania Schoech con un cuchillo de cocina clavado en mitad de la espalda. A continuación, tras haber advertido que se encontraba efectivamente muerta, aunque no me permití poner sobre ella las manos, bajé al vestíbulo y le comuniqué al conserje de noche el asesinato de mi compañera de curso. Inmediatamente, telefoneó al sheriff para comunicarle la noticia. Luego clausuró todas las puertas de entrada y me pidió que no me moviera de su lado hasta que no llegara un patrullero y la ambulancia. A partir de ese instante poco puedo contarle. Diez minutos más tarde apareció el sheriff y los agentes locales. Fueron ellos los que se hicieron cargo de la situación, quedando relegada a un segundo término como el resto de mis compañeros del séptimo piso, que fueron levantados inmediatamente de sus camas y obligados a bajar al *hall*. No entiendo, sin embargo, por qué en un principio sólo se despertó a los que nos hospedábamos en el séptimo piso; pero eso es algo que no me incumbe. En menos de una hora, todos los habitantes de la residencia Mayflower se encontraban en el vestíbulo para ser uno a uno interrogados. Nada más puedo decirle, pues no se me permitió acercarme de nuevo al cadáver. Con Melania no me unía la menor amistad. Me limitaba a tratarla como una simple compañera de Programa. Como europea y residente en Suiza, difícilmente soy capaz de conectar con alguien de un temperamento tan oriental como el de Melania, mujer de religión budista y una verdadera puta, que creo tenía relaciones sexuales con casi todos los participantes masculinos del curso, aunque se encontraba vinculada sentimentalmente a Gyorgy Skourtis, el guionista cinematográfico griego, persona por la que no siento tampoco la menor simpatía.

»Con respecto a su segunda pregunta, no creo que ninguno de mis compañeros de Programa pueda ser acusado de su asesinato. Melania era una mujer que solía abandonar el campus universitario y frecuentar sola el centro de la ciudad. En más de una ocasión la hemos visto acompañada de hombres no vinculados para nada ni al Programa Internacional ni a la universidad.

»Cierro con estas palabras mi declaración y pongo punto final a ella.

—¿Qué me dice de la declaración de Joanna Salomon?

—Que ha sido completamente sincera. Siento por ella una gran simpatía y sus palabras, como puede comprobar, están cargadas de significados que estoy seguro habrán sido ya analizados. Continúe, por favor. Ya le dije que no daré mi opinión sobre el expediente hasta que no me haya leído todas las declaraciones.

—Declaración formulada por Børjg Vik, nacionalidad noruega, novelista:

»La depresión que sufro normalmente desde mi llegada al Programa se acentuó el día del asesinato de Melania Schoech. De vuelta del Hancher Auditorium, al llegar a la residencia Mayflower, entré en mi apartamento y me metí en la cama para ponerme a sollozar. Leontyne Price había cantado aquella noche entre otros temas musicales el aria de *Madame Butterfly,* lo que me trajo inevitablemente el recuerdo de mi marido y de mis hijos, en cuanto es una ópera por la que toda la familia siente una gran admiración. Frente a esta circunstancia opté por tomarme un somnífero para quedarme dormida; algo que conseguí calculo al cabo de media hora. Por tanto, poco puedo responder respecto al asesinato de Melania Schoech. Cuando la policía llamó a la puerta de mi apartamento y me obligaron a bajar al vestíbulo me encontraba completamente trastornada por culpa del valium. Así pues, poco puedo seguir diciéndole al respecto. Sólo quiero, naturalmente, aclarar que la muerte de Melania me dejó muy impresionada, como hubiera quedado por la de cualquiera de mis compañeros, a pesar de no unirme con ella ningún lazo de amistad.

»Con respecto a su segunda pregunta, quiero hacer constar que en mi opinión ninguno de los componentes del curso es culpable del asesinato de la filipina.

—Continúo, ¿no? —me preguntó David Benton.

—Sí, claro, por favor. No obstante, se me ocurre que podíamos ir a tomar café.

—Baje si quiere, hay una máquina en el vestíbulo. Le espero.

—Una máquina de *café*. Y yo necesito a esta hora tomar un expreso.

—Que yo sepa, no hay café expreso en esta ciudad fuera de los restaurantes italianos.

—Se equivoca. ¿Cómo asegura entonces conocerla?

—Bueno: vaya si es que le apetece y no le coge muy lejos.

—En la calle Gilbert, a cinco manzanas.

—Pues entonces baje al vestíbulo y tome un par de *cofees* en sustitución de ese expreso. No iba a estar aquí sentado una hora esperándole.

Le hice caso y seguí su consejo por cortesía. Tardé sólo unos minutos en bajar al *hall* y beberme un par de tazas de *cofees*. En aquel momento había echado de menos no sólo un auténtico café expreso, sino también un par de whiskis, como era habitual en mí a esa hora.

Al regresar y sentarme frente a él en la mesa de estilo victoriano, David Benton continuó leyendo:

—Declaración formulada por Baharauddin Zainal, nacionalidad malaya, poeta:

»La noche que asesinaron a Melania Schoech había regresado a mi apartamento después de asistir al recital de Leontyne Price en el Hancher Auditorium. No habituado a la música occidental, he de reconocer que a lo largo del recital ofrecido por la bellísima cantante de color me quedé prácticamente dormido; de manera que al llegar al Mayflower renuncié a mi habitual sesión de yoga nocturno y a mis oraciones y me metí en la cama. Curiosamente, tuve aquella noche un extraño sueño en el que Leontyne Price se había enamorado de mí hasta el punto de venir a visitarme en mi apartamento de la residencia universitaria. Imaginaba que había llegado volando con su vaporoso vestido desde el Hancher Auditorium y que al llegar al Mayflower, en vez de entrar en mi apartamento por la ventana, cruzó el vestíbulo y llegó al séptimo piso tomando el ascensor. Cuando la policía pulsó el timbre de la puerta de mi habitación pensé que era ella, y mi sorpresa no tuvo límites cuando el agente me obligó con malos modales a que me vistiera inmediatamente y bajara al vestíbulo para realizar mi primera declaración al sheriff. Su compañera Melania Schoech —me dijo— ha sido asesinada en el corredor a sólo unos pasos de su habitación. Para un oriental, la muerte violenta significa que pueda ser más rápida aún la reencarnación de lo habitual. Pienso que, posiblemente, Melania Schoech se transformaría inmediatamente en una mariposa, ya que éste era su deseo según me había contado. No me extraña en absoluto en cuanto me aseguró ser amiga personal de Imelda de Marcos, la esposa del presidente filipino, esa hija de perra, a la cual el pueblo llama *La mariposa de hierro*, aunque ella intente ser conocida por *La rosa de Tocoblán*.

»Con respecto a su segunda pregunta, quiero hacer constar que ningún miembro del Programa Internacional puede ser acusado del asesinato de Melania. En última instancia, las sospechas podrían recaer concretamente sobre mí, ya que no me hubiera importado en absoluto ser el verdadero protagonista del crimen y haberle clavado ese cuchillo de cocina que le encontraron clavado en la espalda. Desgraciadamente, no fui yo el que lo hizo, aunque, dada su actitud reaccionaria, yo diría mejor que nazi para entendernos, Melania Schoech ha tenido bien merecida su muerte.

—Inaudita declaración, ¿no?

—Pienso que es la más sincera de todas. Conozco perfectamente a Baharauddin; es una persona excelente y se ha limitado a decir lo que piensa. Al parecer, Melania lo trataba siempre e invariablemente como un esclavo y lo despreciaba, a pesar de que Zainal es un gran poeta y ella era una pésima periodista, preocupada sólo de escribir ecos de sociedad.

—Continúo: Declaración formulada por Cid Corman, nacionalidad estadounidense, poeta, traductor, editor:

»Estimo ser la persona más preocupada por el asesinato de Melania Schoech. Como estadounidense, el hecho de que una escritora —si es que como tal puede calificársela—, invitada como participante al Programa Internacional, fuera asesinada en mi país, ha sido para mí traumático. No cabe duda de que su muerte puede haber sido causada por razones posiblemente políticas, lo que me hace pensar en la falta de información que tenemos sobre nuestros invitados. Descarto naturalmente la posibilidad de que hubiera sido asesinada por ninguno de los compañeros del Programa. Ignoro por qué sólo nosotros, los participantes en el curso, podamos ser acusados de sospechosos, muy en particular los que vivimos en el séptimo piso, a los que se nos obliga a formular esta declaración especial. Melania Schoech me resultaba una muchacha encantadora y de cierta belleza, aunque, naturalmente, oriental. Son obvios mis puntos de vista antirracistas que pueden ser perfectamente entendidos por medio de mis libros. Por supuesto, nunca la traté como una escritora porque estimo que no lo era. Ella solía tratarme con toda corrección y afecto, a pesar de encontrarse divorciada de un súbdito norteamericano. Disculpen que haya contestado la segunda pregunta antes que la primera. Con respecto a la noche del asesinato, quiero aclarar que no asistí al recital de Leontyne Price en el Hancher Auditorium, ya que me vi obligado a pronunciar a la misma hora, invitado por el departamento de lengua inglesa de la universidad, una conferencia en el Museo de Arte. Una vez concluida, fui a cenar con algunos de los profesores asistentes al acto, uno de los cuales tuvo la gentileza de acompañarme hasta mi residencia en el Mayflower, donde llegué calculo que aproximadamente a las doce. Cansado como me encontraba, inmediatamente me metí en la cama y, como es en mí frecuente, me puse a leer durante aproximadamente media hora antes de quedarme dormido. Y nada más, eso es todo. Fui despertado por un agente que fue a llamarme para que bajara al vestíbulo, indicándome que la razón de la molestia que me ocasionaba era que Melania Schoech había sido asesinada.

—Se trata de la declaración más objetiva y pragmática que hasta ahora ha leído. ¿Usted también así lo entiende?

—Gentile, es usted terrible. Siempre que se trata de un súbdito estadounidense, sus comentarios no pueden ser más críticos.

—Al revés. Todo lo contrario. Creo que se equivoca. Soy un gran admirador de este país en general, y admiro también mucho a Cid Corman como escritor, al que considero un verdadero amigo y, por supuesto, una persona sensible y afectuosa. Pienso incluso que debería estar más considerado de lo que está, como artista que es, en su propia patria. Y ahora sigamos, ¿no? Como ve, y podrá comprobar, he llenado ya, desde que inició la lectura de las declaraciones, cuatro páginas de mi bloc de notas.

—Declaración formulada por Desmond Hogan, de nacionalidad irlandesa, novelista.

»Como los crímenes son algo que no tienen para mí ningún interés desde el punto de vista literario, el asesinato de Melania Schoech no me ha afectado más que espiritualmente, como católico que soy. Mi relación, a nivel humano, con los componentes del Programa Internacional, prácticamente no existe. Ni tengo amigos en él, ni los necesito. Pienso que el arma fundamental de un escritor es la soledad y que necesito ceñirme a ella estrictamente. Melania Schoech era para mí una especie de libélula oriental, que por cierto me propuso un par de veces hacer con ella el amor. Por supuesto, que no acepté. Ya que debo la fidelidad a la que dentro de seis meses será mi esposa en Dublín. Tengo que hacer asimismo constar que pienso que esa filipina no debiera haber sido invitada al curso de escritores, en cuanto estoy convencido de que la literatura no le interesaba en absoluto. Creo responder con estas palabras a la segunda pregunta que se me ha hecho. Por lo que se refiere a la primera, la noche del asesinato no asistí en el Hancher Auditorium al recital dado por la soprano de color Leontyne Price. A primera hora de la mañana de aquel día, tras ser recomendado en el Grinnell College por Alberto Gentile, fui recogido en la puerta del Mayflower por el profesor Jorge Mariscal, que me llevó en un par de horas al Grinnell en su automóvil para dar a las doce una clase de literatura sobre la novela de Joyce, *Ulises*. Todo el día, pues, permanecí en Grinnell, y no regresé a Iowa hasta última hora de la tarde, rogando a Jorge Mariscal que me devolviera a mi residencia, ya que me encontraba lo suficientemente cansado para no asistir, pese a mi afición por la música, al recital de Leontyne Price. Aunque no puedo precisar exactamente la hora, creo recordar que sobre las diez de la noche me encontraba ya durmiendo. Serían aproximadamente las doce y media cuando la policía llamó a la puerta de mi apartamento para obligarme a bajar al vestíbulo tras decirme que Melania Schoech había sido asesinada. Por lo que respecta a lo que pienso de quién podía haber sido el asesino, estoy seguro de que ninguno de los componentes del curso ha sido su ejecutor. Pese a que, como le dije, no tengo amistad con ninguno de ellos, estimo que son todos o, casi todos, personas que no serían capaces de matar ni una mosca.

—¿Es cierto efectivamente que gracias a su recomendación Desmond Hogan fue a dar una conferencia a Grinnell?

—Naturalmente que es cierto. Siendo como es irlandés, me pareció la persona más adecuada para hablar sobre la obra de Joyce. Pienso que Desmond no es sólo un magnífico narrador, sino además un magnífico especialista en lengua inglesa y, dada la amistad que me une con Jorge Mariscal, me pareció oportuno recomendárselo.

—Que yo sepa, él no ha vuelto, como hizo usted, a Grinnell a tener ninguna aventura galante. Es, al parecer, una persona que se mantiene fiel a su prometida.

—Y se mantiene, en efecto. A lo largo del curso jamás le he visto acompañar a ninguna mujer. Su soledad, según he podido advertir, suele matarla en la barra del bar Mickey con whisky irlandés y con cerveza.

—¿Piensa usted que bebe mucho?

—Lo justo, una tercera parte de lo que bebo yo;

pero eso es algo que no me incumbe, como ha de suponer. Siento por él una gran admiración no sólo como escritor sino también como persona.

—¿Continúo con otro personaje?

—¡Qué divertido, le ha llamado personaje! Para usted todos lo somos, incluyéndome, pese a haber sido nombrado miembro interino de los servicios de información.

—¿Me permite que continúe? No ha sido ésa mi intención, créame. No piense que, como usted haría probablemente, soy capaz de transformar a seres humanos en entes de ficción.

—Perdone. Continúe, por favor. A propósito, ¿no se encuentra cansado por la lectura? Si lo desea, me entrega el expediente, se lo termino de leer y mañana nos vemos para darle mi opinión.

—Imposible, son páginas que forman parte del sumario, que es secreto.

La luz comenzaba a difuminarse a través de los ventanales de la planta noble del Antiguo Capitol. Los tonos rosados, crepusculares de las nubes heridas no por el sol, sino por los reflectores de las luces de la dorada cúpula del viejo palacio parlamentario, fulguraban sobre los cristales de las hojas de guillotina. Llegaba ya hasta nosotros el rumor del tráfico tras haber finalizado las clases en el campus universitario. El edificio estaba a punto de ser cerrado hasta la mañana siguiente. David Benton miró su reloj y me dijo que nos quedaba menos de media hora de permanencia en el despacho, y que, caso de no terminar de leer durante ese corto período de tiempo el expediente, nos veríamos obligados a buscar un sitio idóneo para proseguir nuestro trabajo. Inmediatamente dio comienzo a la lectura de otra declaración.

—Declaración formulada por Alex Schulze, natural de la República Democrática Alemana; poeta; profesor de literatura en la universidad de Leipzig.

»El recital de Leontyne Price fue tan soberbio que al finalizar sentí la necesidad de conocerla personalmente, por lo que rogué al consultor del Programa Internacional Paul Engle que me acompañara hasta su camerino y me la presentara. No tengo que decir que Paul es una persona encantadora que accedió a mis deseos. Excelente poeta, el fundador del Programa es como yo un gran admirador de la música clásica. Tras ser presentados, Leontyne Price tuvo la gentileza de invitarnos a tomar una copa en el bar del Memorial Union, donde se hospedaba. Así, de manera, pues, que Paul Engle puso a disposición de la soprano un coche de la universidad, y los tres, acompañados por el manager de la cantante, un simpático neoyorquino, por cierto de origen alemán, nos dirigimos a los límites de la calle Jefferson. Casualmente en aquel momento estaba interpretando jazz un grupo llegado del sur que aplaudió entusiasmado la llegada al bar de Leontyne, dedicándole sus mejores interpretaciones. Bebimos por lo menos entre todos, incluyendo al grupo musical, hasta media docena de jarras de vino rossé, mientras conversábamos largo y tendido sobre música, arte e incluso poesía. Sobre las once, Paul Engle y yo nos despedimos de la soprano y nos dirigimos a cenar al restaurante italiano de la calle Burlington, y sobre las doce, el consultor del Programa me dejó en el coche de la universidad en la puerta del Mayflower. Inmediatamente subí a mi apartamento y me acosté, ya que al día siguiente tenía que levantarme muy temprano para asistir a una lectura en el Regina High School...

—Imposible continuar leyendo. En unos minutos sonará el timbre y nos veremos obligados a abandonar el edificio.

—Bien, qué le vamos a hacer, pero ¿ha pensado a dónde podemos dirigirnos para proseguir?

—Aún no. Ya lo decidiremos a la salida.

DIEZ

LOS *RATONES* DEFENDIERON AL GATO

LAS DOS BANDERAS, la de la Unión y la del Estado, sujetas al mismo mástil, que tremolaban en la cúpula del Antiguo Capitol, habían sido ya izadas. Parpadeaban los anuncios luminosos en el centro de la ciudad y un frío viento del norte que barría las doradas hojas que alfombraban los acerados del campus, hacía presagiar que aquella noche nevaría en la Gran Pradera. David Benton, tras bajar la escalinata del antiguo edificio del Gobierno, me había indicado la conveniencia de que abandonáramos la ciudad para continuarme leyendo el expediente.

—¿Dónde vamos a ir?

—A Cedar Rapids.

—¿A qué lugar de la ciudad?

—Muy cerca del aeropuerto. A casa de unos *amigos*.

—Supongo que se refiere a la *sucursal* del FBI.

—El FBI no tiene eso que usted llama sucursales, pero sí colaboradores. Vamos a casa de uno de ellos.

—Espero que nos invite a cenar, aunque yo preferiría que lo hiciéramos antes en cualquiera de los restaurantes de final de la autopista. Hay un par de sitios que, cosa rara en la Gran Pradera, sirven un pescado excelente aunque, naturalmente, congelado. Exceptuando los estados de Luisiana y California, los habitantes de este gran país no sienten la menor afición por los frutos del mar. Sucede evidentemente lo mismo en Argentina. Las naciones grandes, productoras de carne, rechazan las exquisiteces marítimas, que sólo sabemos apreciar los que hemos nacido en el Mediterráneo o en el Cantábrico. América en su conjunto es para mí un enigma, incluso a niveles tecnológicos en ocasiones. ¿Cómo se explica, por ejemplo, que la televisión norteamericana disponga sólo de quinientas veinticinco líneas y *visualmente* sea un completo desastre mientras los europeos tenemos cien más?

—Apreciado Gentile, en un par de minutos se ha referido usted a la vez una tras otra a cinco cosas, la gastronomía, la geografía, la sociología, la antropología y la tecnología. Ha sido un auténtico discurso. ¿Cómo pretende que pueda darle cinco respuestas a la vez sobre las sugerencias que me ha hecho? Subamos a mi auto. Lo tengo aparcado en la esquina de Blumington. Cenaremos sólo cuando hayamos terminado el trabajo.

Diez minutos más tarde nos encontrábamos en la autopista, y en treinta más el coche se detuvo ante una casita de color rojo Suecia situada en los aledaños del aeropuerto. David Benton se sacó una llave del bolsillo y abrió con ella la puerta de la entrada principal situada a la izquierda de la veranda defendida por una balaustrada de madera pintada de blanco.

—¿No me dijo que vendríamos a casa de un amigo?

—Y lo hemos hecho. En este momento se encuentra en Washington y me facilitó la llave de su vivienda por si necesitaba hacer uso de ella. Es soltero y vive solo.

Tras entrar en la casita de muñecas, David Benton

conectó sólo la luz de la pantalla de pie del pequeño salón y, tras cerrar con llave la puerta por dentro y echar el cerrojo, me rogó que me sentara en una de las butacas de orejeras mientras él lo hacía en el sofá. Tras sacar del portafolios el expediente, continuó la lectura de las declaraciones de los componentes del Programa:

—Declaración formulada por Kabita Sinha, nacionalidad hindú, poetisa, bailarina clásica oriental.

»La noche que asesinaron a Melania Schoech había asistido al recital dado por Leontyne Price en el Hancher Auditorium. Por fin, tras unas semanas de depresión originada por el intento de asesinato de mi vecina de habitación Ersi Sotiropoulou, había vuelto a recuperarme y aquel día me sentía completamente feliz a mi regreso al Mayflower, tras haber aplaudido entusiasmada el recital de la soprano. Después de practicar, como es en mí habitual, una corta sesión de yoga antes de acostarme, calculo que sobre las once y media de la noche me quedé dormida al terminar de leer poemas de Walt Whitman, uno de los autores norteamericanos que más admiro. Fui despertada por la policía que insolentemente me obligó a bajar al vestíbulo tras comunicarme que Melania Schoech había sido asesinada. Mientras mi vecina de habitación Ersi Sotiropoulou es una persona absolutamente encantadora, por la que siento un gran afecto, Melania era la compañera de curso a la que menos vinculada me encontraba afectivamente. Completo pastiche de mujer oriental, sus actitudes me parecían y continúan pareciendo las de una verdadera prostituta, de pésimo gusto vistiendo. Pese a la alta calidad de las prendas que ceñían su cuerpo, para provocar a todos los componentes masculinos del Programa, no estaban sin embargo acordes jamás. Por ejemplo, recuerdo, cosa para mí inconcebible, que utilizaba al principio del otoño un precioso vestido de tarde de satín celeste, y en vez de estar calzada en aquella ocasión con unos zapatos de vestir, lo hacía con unas altas botas de cremallera de romas punteras cuadradas. En otra ocasión, la vi calzarse unas zapatillas de raso, mientras se hallaba enfundada en un pantalón vaquero, una blusa de cuadros y un echarpe de lana color amaranto. Como poetisa y bailarina clásica oriental que soy, para mí Melania Schoech era la componente del curso menos indicada para haber sido invitada al curso fundado por Paul Engle, gran poeta al cual admiro y que mantiene siempre, dentro de la libertad, al igual que Hualing, su mujer, una extraordinaria actitud moral y estética frente a la vida. Con respecto a su segunda pregunta no creo que ninguno de los componentes del Programa puedan ser acusados del asesinato de la filipina, como tampoco ningún indio cherokee ni sioux. ¿Han pensado que Melania Schoech estaba divorciada de un médico norteamericano residente en Nueva York y que pudo ser su ex marido el asesino?

—Declaración formulada por Sipho Sepamla, natural de África del Sur, poeta, novelista.

»La noche del asesinato de Melania Schoech había asistido entusiasmado al recital ofrecido por la soprano Leontyne Price. Quedé fascinado no sólo por su soberbia interpretación, sino también muy especialmente, siendo de raza negra como yo lo soy, por los aplausos de todos los espectadores asistentes al Hancher Auditorium. Fue para mí una noche inolvidable. Pienso que, en mi país, la mayoría negra se encuentra absolutamente discriminada en una medida muy diferente a los Estados Unidos. Y que los blancos se dedican únicamente a humillarnos. ¿Cómo puedo imaginar, aunque quizá lo consigamos algún día, que en el teatro de nuestras ciudades actúen como aquí los hombres y mujeres de nuestra raza interpretando además música clásica occidental? Abandoné, pues, el Auditorium feliz como un niño al que se hubiera vestido de jefe de tribu con plumas de colores en la cabeza o con alas de arcángel, ya que, a pesar de mi cultura antropológica africana, soy cristiano y pienso en el cielo que Jesús puede ofrecerme cuando muera. Con respecto a Melania Schoech, no tengo ninguna particular opinión. Se trataba de una compañera de curso y como tal la consideraba. En ella se advertían ciertos rasgos de mi raza, aunque naturalmente su piel no era negra. Pienso que quizá su talento como escritora era muy discutible, pero eso es algo que no me incumbe en absoluto. El moderno imperio de los Estados Unidos de América lo compra todo, bueno y malo y a cualquier precio, por lo que no me extraña fuera invitada al Programa Internacional. Por lo que se refiere a la segunda pregunta, creo que ninguno de los componentes del curso ha podido ser su asesino, ni tampoco ningún indio ni sioux ni cherokee, como algunos rumores que corren aseguran. Aquí, los indios fueron prácticamente exterminados, como pretenden hacer los blancos con nosotros en África del Sur.

—¿Qué le parece esta declaración? —me preguntó David Benton.

—Pese a sus contradicciones la encuentro la más poética. Conozco perfectamente el carácter de Sipho Sepamla.

—Continúo: Declaración formulada por Narciso Arteleche, de nacionalidad uruguaya, poeta.

»La noche del asesinato de Melania Schoech salí admirado del recital de Leontyne Price. Daría mi vida por cantar como ella y por tener su misma altura, ya que sólo mido un metro sesenta y cinco centímetros. Tras abandonar el teatro me dirigí al centro de la ciudad para encontrarme con un amigo asistente en el Departamento de Lenguas Románicas de la universidad. Juntos nos sentamos en un velador del bar Mickey para bebernos unos whiskis, mientras engullíamos una cestita de mimbre llena de palomitas de maíz y conversábamos sobre música y poesía. Sobre las diez y media nos dirigimos a cenar a un restaurante italiano, ya que siento especial debilidad por las pizzas. Terminada la cena nos despedimos, solicité un taxi por teléfono y regresé al Mayflower. Una vez en mi apartamento me puse a releer mi último libro de poemas, obra genial de la cual me siento orgulloso, ya que estoy convencido de ser el mejor poeta de mi país, aunque allí, los llamados intelectuales de izquierda hagan una dura crítica de mis libros. Sobre las doce me metí en la cama y en seguida me quedé dormido. Cuando la policía llamó a la puerta de mi estancia, tuve una larga discusión con el agente de color cuando me indicó que bajara al vestíbulo porque Melania Schoech había sido asesinada. En un principio creí que lo que pretendía era entrar en mi alcoba para violarme. Finalmente me vi obligado a ceder a su petición, ya que sacó de la funda su revólver y me amenazó con él diciéndome que si no estaba dispuesto a obedecer sus órdenes me iba a dejar tendido sobre la moqueta del pasillo. Sirva esta declaración para acusar a aquel agente de malos tratos. Naturalmente y por supuesto el asesinato de Melania me hizo derramar muchas lágrimas. Mi compañera de curso de nacionalidad filipina era una mujer ideal, de gran belleza y de excelente gusto vistiendo, y mis relaciones con ella eran estupendas. En multitud de ocasiones conversábamos los dos en español, idioma que ella conocía a la perfección por haber estudiado un par de años en un colegio de monjas cercano al monasterio del Escorial. Nunca tuve con ella ninguna discusión y, como ya he especificado antes, admiraba su gran estilo de gran dama, algo que a los uruguayos de elevada clase social como la mía nos fascina. Por lo que respecta a su segunda pregunta estimo que ninguno de los componentes del Programa pudiéramos ser acusados de complicidad en el asesinato de Melania Schoech, ya que todos sentíamos gran admiración y cariño por ella. Posiblemente son ciertos los rumores que corren de que fue un indio sioux o cherokee el asesino. Ésta es una opinión que creo comparten todos mis compañeros.

—¿Qué le parece esta declaración?

—Como puede advertir, estoy tomando nota de cada una de ellas y prefiero no hacer por ahora comentarios al respecto. No obstante, debo decirle que, realizando un análisis detallado de ellas, podré reafirmar la pista que ya tengo, pero de la que guardaré por ahora el más absoluto silencio.

—No hemos terminado, queda aún una declaración que leerle.

—¿La de Regina Zoffe?

—En efecto. Continúo: Declaración formulada por Regina Zoffe, de nacionalidad argentina, redactora de publicidad.

»La noche que asesinaron a Melania Shoech no asistí al recital ofrecido por la soprano de color Leontyne Price en el Hancher Auditorium. Aquella tarde había recibido una carta de mi hermano fechada en Buenos Aires en la que me contaba que lo había abandonado su mujer. Como han de suponer, caí en una situación psíquica de completo abatimiento que me impedía todo tipo de relación con mis compañeros de curso, por lo que decidí no salir de mi apartamento en el Mayflower, donde me enclaustré para escribir a mi hermano una larga carta y expresarle con ella mi cariño y consolar su dolor. No recuerdo exactamente la hora en que me quedé dormida, tras haberme limitado a tomar, renunciando a la cena, puesto que no sentía el menor apetito, un par de jícaras de mate. Aún me queda yerba. Me traje un kilo cuando volé a Estados Unidos desde mi país. No sé exactamente a la hora que la policía llamó a mi puerta para obligarme a bajar al vestíbulo tras comunicarme que Melania Schoech había sido asesinada. No veo que tenga nada más que decir. Preocupada como estaba por la suerte de mi hermano, la muerte de Melania vino a redoblar mi dolor, ya que era una persona a la cual estimaba y por la que sentía un gran afecto y cariño. Pienso que era una piba excelente, de fina educación y por la que todos mis compañeros sentían el mismo afecto. Que Dios la tenga en su gloria. A veces la muerte es superior a la vida. Con respecto a su segunda pregunta no creo que ninguno de los componentes del Programa podamos ser acusados del asesinato de Melania. ¿Qué razón podíamos tener nosotros para enviarla al otro mundo de una cuchillada en la espalda? Seguramente son ciertos los rumores que corren de que el asesino fue un indio sioux o cherokee; posiblemente sioux diría yo, ya que fue un sioux, sin conseguir asesinarla, el que atentó contra la vida de Ersi Sotiropoulou. Con estas palabras pongo punto final a mi declaración. Estimo que nada más tengo que decir al respecto.

—Hemos terminado. Adelánteme algo con respecto a lo que luego puede ser su definitiva opinión.

—Lo único que puedo decirle por ahora es que paradójicamente los *ratones* han defendido al gato —le contesté.

ONCE

VICTORIA PÍRRICA DE NUBE CELESTE

SOBRE LAS OCHO DE LA MAÑANA del día siguiente, y a punto de abandonar mi apartamento en el Mayflower, sonó el teléfono.

—Tenemos que vernos urgentemente —me dijo Joshe Szerties desde el otro lado de la línea—; tienes que echarme una mano, Nube Celeste ha estado a punto de ser linchada. Anoche, hasta las doce, estuve intentando ponerme en contacto contigo, pero no cogiste el teléfono.

—¿Cómo lo iba a coger si no me encontraba en casa?

—¿Podemos vernos en media hora? Si quieres paso a recogerte.

—No es necesario; dime dónde quedamos citados.

—En mi despacho del Departamento.

¡Linchamiento! ¿Cómo era posible que aún se pudiera intentar linchar a nadie en los años ochenta del siglo XX? A mi preocupación añadí mi curiosidad ante el hecho. Ciertamente en los Estados del Sur, y hasta los años cuarenta, algunos criminales verdaderos o supuestos fueron linchados en pequeñas ciudades de Luisiana, Atlanta, Texas, Nuevo México y Arizona, pero que esto sucediera en el gélido norte era para mí inconcebible. Los primeros linchamientos tuvieron lugar en Virginia en el último cuarto del siglo XVIII, y el nombre de la ejecución, sin previo proceso y tumultuariamente, se deriva del apellido del conocido colono Charles Lynch, juez de paz y miembro de la legislatura del condado que se distinguiera en la lucha contra la dominación británica; saltándose la ley, hizo justicia sumaria y expeditiva a los conspiradores anglófilos. La llamada ley de Lynch fue seguida con frecuencia en el Oeste durante los duros tiempos de la colonización, en los que no existían medios judiciales capaces de reprimir los crímenes.

Como habíamos quedado, media hora más tarde me encontraba en el despacho de Joshe Szerties, al que encontré sentado ante su mesa con cara de no haber pegado un ojo en toda la noche, nervioso y excitado hasta límites que no creía alcanzara nunca el húngaro nacionalizado, persona que sabía reprimir siempre sus impulsos y solía tomarse los problemas derivados de su divorcio y su vinculación sentimental con la india Nube Celeste con gran calma.

—Antes de aconsejarte —le dije— quiero que me cuentes la historia completa del suceso.

—Es lo primero que pensaba hacer, si es que tengo tiempo para conversar siquiera unos minutos. He pasado la noche insomne y lo peor es que dentro de una hora tengo la primera clase y otra a las once, por lo que me veré obligado a permanecer toda la mañana en la universidad.

—Sé breve y conciso. Te escucho.

—Como sabes, Nube Celeste abandonó su apartamento en el Mayflower y se vino a vivir conmigo. Aunque te parezca absurdo, hace tres días sus padres vinieron a verme desde Sioux City para decirme que o contraía con ella matrimonio o me abandonaría por mandato de ellos, a los cuales debía obediencia como sioux que era, viéndose obligada, quisiera o no, a respetar sus tradiciones y su cultura. Al parecer ellos ignoraban que ésa era precisamente la intención de su hija. Les expliqué que con independencia de las relaciones amorosas que mantenía con ella tras mi divorcio, el hecho de vivir en mi casa no era debido ni mucho menos a que hubiéramos decidido convertirnos definitivamente en pareja, sino para ofrecerle la protección necesaria; si continuaba domiciliada en la residencia universitaria corría dos tipos de peligro: el riesgo de ser asesinada y, a la vez, ser culpada de asesinato por algunos de sus compañeros que podrían terminar linchándola como pretendían hacer ayer tarde, cuando al salir de clase la introdujeron en un coche y la llevaron a las cercanías de Kalona para intentar lincharla. Providencialmente, al exceder el conductor del auto la velocidad admitida en el Estado, cincuenta y cinco millas por hora, el coche fue detenido por un patrullero, presentándosele a ella la oportunidad de explicar a uno de los agentes que había sido raptada. Sin embargo, fue devuelta a Iowa City, pero de manera inexplicable, a sus raptores se les impuso solamente una multa y no fueron detenidos. Pienso, pues, que existe una conspiración y que si no tomamos medidas urgentes, acabará siendo efectivamente linchada. La situación no puede ser más peligrosa, dramática e inconcebible. Sólo tú puedes poner remedio a esta situación y hacer algo.

—¿Acaso soy yo el sheriff? Por otro lado, ¿es que no lo pusiste al corriente?

—No, efectivamente no lo eres, pero corren rumores dentro de unos grupos muy minoritarios, no creas que a nivel popular ni siquiera universitario, de que te encuentras vinculado al FBI, o que por lo menos formas parte de los servicios de información del Estado de Iowa. Al parecer, según se dice, tanto el intento de asesinato de Ersi Sotiropoulou como el crimen de que fue objeto Melania Schoech obedece a razones *políticas*; una *política* muy particular ciertamente que nada tiene que ver con la tensión Este-Oeste sino por cierto espionaje industrial practicado por los japoneses.

Quedé asombrado de que Joshe Szerties estuviera al corriente de ciertas particularidades que creía yo sólo conocer. En efecto, y desde el punto de vista de las autoridades tanto locales como federales, este parecía ser el problema real que les afectaba y por el que había sido nombrado miembro interino de los servicios de información. Pero, aunque había aceptado el cargo, por no negarme a algo que solicitó de mí un senador, estaba en total desacuerdo con la tesis. El intento de asesinato de Ersi y el crimen cometido en la persona de Melania Schoech obedecía a otras razones más simples y sencillas. En ellas y sólo en ellas se encontraba la verdadera pista para el descubrimiento del asesino o de los asesinos. Naturalmente, no dije una palabra al respecto a Joshe Szerties.

—Supongo que me echarás un cable —me dijo—. Lo necesita no sólo Nube Celeste, sino también yo. Aunque en la última conversación que sostuvimos te aseguré no estar enamorado de ella, lo estoy. Comprendo que es una locura casarse con una mujer a la que se llevan veinticinco años, pero tanto ella como sus padres desean nuestro matrimonio, y como india que en el fondo de su alma es, pese a haber asimilado parte de nuestra cultura, me será fiel hasta la muerte. He pensado que lo mejor que debo hacer es solicitar un puesto en otra universidad y olvidarme de Iowa. Me marcharía al Oeste o al Sur, de ser posible: a California, a Texas, a Luisiana, incluso a Florida; aunque, a lo largo de este curso, he de permanecer aquí para cumplir mi contrato. Y es por eso por lo que necesito tu ayuda. ¿Puedo contar con ella?

—Desde luego; pero te verás obligado a seguir mis consejos.

—¿Y puede saberse cuáles son?

—Son ya más de las nueve. Tranquilízate. Nos veremos a mediodía. Te invito a almorzar en el restaurante italiano de la calle Burlington. Nos veremos allí a la una.

* * *

Joshe Szerties me telefoneó al restaurante italiano para decirme que perdonara, pero que se veía obligado a almorzar con el rector y que no podía asistir a nuestra cita. Sería por la noche cuando nos volveríamos a encontrar, si me era posible, y sería entonces él quien me invitara en La Botella Marrón, donde acepté acudir sobre las ocho. No teniendo aquella tarde nada que cumplir dentro de la agenda del Programa, tras mi almuerzo en solitario decidí desplazarme a Liberty City, el pueblecito agrícola situado cinco millas al noroeste de la ciudad, lugar habitado por una pequeña colonia de chicanos dedicados a recolectar lechugas y tomates y que vivían en barracones rodeando una pequeña iglesia católica, verdadera rareza en el condado, ya que el noventa y cinco por ciento de sus habitantes de origen germánico o vikingo son de religión luterana. Había sido Betty, la compañera de Robert Dominguez, la que me indicó una de las noches que pasamos juntos que si algún día tenía tiempo fuera a visitar la única isla hispánica del condado, aunque existiera en el campus universitario una residencia que albergaba a los estudiantes mexicanos becados, edificio que se levantaba en la esquina de la calle Burlington y la avenida Melrose.

Llegué a Liberty City en menos de media hora. Pese a que una espesa niebla inundaba la autopista, me dirigí a la iglesia católica para establecer contacto con el párroco. La parroquia era prácticamente un barracón: altar y bancos de cemento, una gran estampa de la Virgen de Guadalupe situada sobre el sagrario de piedra artificial y un crucificado de yeso colgado de la pared maestra al fondo de la nave con claraboya de plástico. Lo único de cierto valor se encontraba en la pequeña espadaña donde una sonora campana de bronce llamaba a los fieles a la catequesis, a bodas, bautizos y entierros. A un centenar de metros de la parroquia y a menos de quinientos de los barracones prefabricados —donde habita medio millar de emigrantes, todos ellos obreros agrícolas, peones en distintas granjas— dos porterías de fútbol europeo ponían una pincelada de deporte de domingo en el paisaje donde los chopos y los abetos separaban aquel *ghetto* rural de los aledaños del centro del pueblo donde se alza la puntiaguda torre blanca y gris de la iglesia luterana.

El párroco, de nacionalidad española y asturiano de nacimiento, me recibió con un caluroso apretón de manos. Vestía un mono de tirantes, unas botas de agua y un anorak maderero; cubierta la cabeza con un sombrero stetson, del que se desprendió en tono de broma con un gesto de mosquetero, me dijo:

—Hace exactamente dos años, concretamente el día que celebramos como siempre la fiesta de la Revolución mexicana y nos reunimos todos en la iglesia para gritar, tras una misa ofrecida a la Virgen de Guadalupe, ¡viva Dolores!, que no viene por aquí ningún compatriota. Me ha dicho que vive en Iowa City. ¿Puede saberse qué hace allí?

—Formo parte del Programa Internacional de la universidad.

—Supongo que sabe que allí hay sólo cuatro españoles: Helena Percas, que fue profesora en Grinnell, su marido Ignacio Ponsetti, ilustre médico catalán exiliado desde el final de la guerra civil y que desde la caída de la Dictadura suele visitar España los veranos y trabaja como cirujano en el Merci Hospital; otro médico cuyo nombre no recuerdo, cirujano también en el Veterans Hospital, que salió de España como prófugo del ejército durante la guerra de Sidi Ifni y un camarero del restaurante griego llamado Roberto Benito, que inexplicablemente hace un par de años vino a pedirme como préstamo doscientos dólares que me dijo necesitaba para viajar a Arizona, donde había encontrado un mejor empleo y desde donde me aseguró me devolvería el dinero. Todo mentira. Continúa de camarero en el Best Steak House y quería los dólares para darlos como anticipo de la compra de un coche. No he vuelto a verle.

—Conozco a los cuatro. De todas formas, Roberto Benito no me parece un mal chico, y tanto Helena, Ignacio, como el médico del Veterans Hospital cuyo nombre en estos momentos tampoco recuerdo, son todos excelentes. Nos vemos, naturalmente, en ocasiones, aunque sólo muy de tarde en tarde.

—Bien; usted es el quinto español y le agradezco mucho su visita. ¿Tenía noticias de que un cura español se encontraba en la parroquia de Liberty City?

—Perdone, en absoluto.

—Ha venido entonces a visitar la colonia chicana.

—En efecto.

—Pues perdone que le diga que aquí poco hay que ver —me contestó el párroco tras encasquetarse el sombrero y abrir luego los brazos para señalarme la espadaña de su iglesia y el campo de fútbol, y continuó—: Los niños no han salido aún del colegio, los adultos no han abandonado el trabajo, pues lo hacen de sol a sol, y todo lo que tenía que conocer ya lo ha conocido. Ahora entremos en mi modesta casa parroquial, le invito a merendar o a un trago, si lo prefiere. Tengo una botella de excelente vino español.

Tomándome del brazo, cruzamos la explanada y rodeamos la iglesia para entrar en la casa. La escasa luz crepuscular comenzaba ya a difuminarse por Oriente, y una bandada de pájaros emigrantes cruzó el brumoso cielo en dirección norte-sur. Señalándolos, exclamó el párroco:

—¡Son ellos sólo, junto a los turistas, los que se dirigen antes de que llegue el invierno al sur! Mis parroquianos no regresarán jamás a su tierra. Viven aquí mal, de acuerdo, pero viven al fin y al cabo, y todos sus hijos tienen escuela. Algún día acabarán por integrarse definitivamente en la sociedad norteamericana. Antes de veinte años el presidente de los Estados Unidos tendrá apellido español.

DOCE

UN NUEVO ASESINATO

A MI REGRESO DE LIBERTY CITY, y tras asistir a una conferencia en el Mark Twain School sobre las reservas indias canadienses, me dirigí a pie al restaurante La Botella Marrón, donde había quedado citado con Joshe Szerties para cenar. Como aún no había aparecido, me senté ante la barra a tomar un whisky de Kentucky y esperar su llegada. Inexplicablemente transcurrió casi media hora sin que el ex húngaro apareciera, lo cual me intranquilizó en cuanto Szerties solía ser siempre bastante puntual. Diez minutos más tarde, una de las camareras pronunció mi nombre en voz alta. Me acerqué a ella y me indicó que me llamaban por teléfono. Tomé el auricular tras dirigirme al otro extremo del largo mostrador y me llegó la voz de Joshe temblorosa y convulsa:

—Han asesinado a una de las secretarias de la administración del Mayflower. Acabo de enterarme, pues he estado hace una hora en la residencia con Nube Celeste para recoger un paquete de libros que había dejado en la conserjería. ¿Estabas ya informado?

—¡Cómo iba a estarlo! Hasta las siete y media me

hallaba en el Mark Twain School asistiendo a una conferencia a la que por cierto no ha acudido ningún otro participante del Programa.

—¿Me esperas para cenar o nos vemos en otro sitio?

Tras meditarlo unos instantes, decidí rogar a Joshe que aplazáramos nuestro encuentro por unas horas. Luego, tras decirle que me esperara con Nube Celeste en su casa, me bebí otro kentucky y me encaminé al Mark Twain School, a la vuelta de cuyo edificio había dejado aparcado mi automóvil y me dirigí en él al Mayflower.

Los patrulleros de la policía local acordonaban el edificio e impedían la entrada en la residencia. Pregunté a uno de los agentes dónde se hallaba el sheriff.

—En el vestíbulo. Se encuentra realizando interrogatorios. Hace apenas un cuarto de hora que el cadáver de miss Dorothy Johnson ha sido enviado al Hospital General para su autopsia.

—¿Cómo ha sido asesinada?

—De una puñalada en la espalda, exactamente igual que miss Melania Schoech.

—¿Me permite entrar? Con independencia de ser residente, necesito hablar con su jefe.

—Imposible, lo siento. Como ha podido advertir, nadie puede hacerlo hasta que no se concluyan las primeras diligencias.

—No obstante, tenga la amabilidad de decir al sheriff que deseo hablar con él. Dígale que se encuentra en la puerta Alberto Gentile.

El agente, tras dudarlo y mirarme con cara de pocos amigos, subió las escalinatas y regresó al cabo de unos minutos para decirme que el sheriff le había indicado que tuviera la bondad de dirigirme a la comisaría a donde él regresaría en menos de una hora.

Di al agente las gracias y me dediqué a escuchar las distintas conversaciones que mantenían varios grupos de estudiantes a los que también se les había negado la entrada y que esperaban escalofriados se les permitiera subir a sus respectivos apartamentos. Las diferentes opiniones oídas resultaron contradictorias. Volvía a insistirse en que el criminal pudiera ser un indio sioux o cherokee, un chicano, un vagabundo o uno de los participantes del Programa Internacional. De nuevo volvía a hacer acto de presencia el miedo y la tensión de los días que siguieron al intento de asesinato de Ersi Sotiropoulou y al del crimen perpetrado en la persona de Melania Schoech. En el momento en que subí al auto para regresar al centro de la ciudad, comenzó a llover y los agentes se vieron obligados a dejar entrar en la encristalada galería que rodea el vestíbulo al medio centenar de residentes que habían iniciado una protesta general al encontrarse la mayoría de ellos sin ropa apropiada para protegerse del fuerte chaparrón que comenzó a calarles hasta los huesos.

* * *

Antes de ir a la comisaría —donde me encontraría con el sheriff dos horas más tarde— me dirigí a casa de Joshe Szerties y le encontré cenando en la minúscula cocina del apartamento con Nube Celeste, la cual me recibió con una sonrisa de satisfacción, ya que el asesinato de Dorothy Johnson la exculpaba definitivamente de toda sospecha, lo cual, sin embargo, desde mi personal punto de vista no era favorable a su situación frente a Joshe, el cual, sin verse obligado ya a protegerla en su propia casa, podía dar por terminadas sus relaciones con ella.

—Este nuevo crimen me ha conmovido profundamente. Dorothy Johnson había sido también alumna mía en el departamento de literatura comparada hace cinco cursos, y resultando una persona muy apta para terminar doctorándose acabó, sin embargo, de secretaria en la administración del Mayflower; una verdadera lástima, aunque no le quedaba otro recurso de continuar siendo como era al parecer una ninfómana que cambiaba de amante todas las semanas y necesitaba tener cada noche un hombre en su cama, a ser posible distinto. Probablemente su muerte te ha hecho cambiar de criterio respecto a la pista en la que al parecer te encontrabas, ¿no?

—En absoluto. Ha sido precisamente una confirmación.

—¿Podrías decirnos ya quién es el asesino?

—El nombre forma parte de un secreto que me veo obligado a silenciar por el momento.

—Dime al menos si es un residente del Mayflower.

—En efecto, lo es.

—¿Participa en el Programa Internacional?

—Ésa es una pregunta que aún no puedo contestarte.

—O sea, que sigues negándote a ofrecerme la posibilidad de descubrirlo a través de tus siempre encubiertas palabras.

—Dejemos eso por el momento, te lo ruego. Y ahora te pido que me expliques de lo que te has informado al llegar al Mayflower, ya que, aunque acudí inmediatamente a mi residencia tras hablar contigo por teléfono, me han prohibido la entrada y no he tenido ocasión de conversar con el sheriff, con el que he quedado citado en la comisaría y al que iré a ver en media hora.

—Supongo que lo harás después de cenar con nosotros, ¿no?

—Muchas gracias, pero no tengo el menor apetito —le contesté—. Si eres tan amable, te ruego que me sirvas una copa.

—¿Qué desea tomar? —me preguntó Nube Celeste, levantándose de la mesa y dirigiéndose a una repisa donde se alineaban dos pequeñas garrafas de vino de California, junto a una botella de ginebra y otra de whisky escocés.

—Whisky, naturalmente. Ya conocéis mi afición por él.

* * *

La lluvia habíase transformado en granizo cuando salí de casa de Joshe Szerties y un cuarto de hora más tarde, al abandonar el coche para entrar en la comisaría y entrevistarme con el sheriff, en tempestad de nieve. Aunque nos encontrábamos en pleno otoño indio —segunda quincena de noviembre—, el invierno había llegado ya a la Gran Pradera. Según me explicaron, quince días más tarde, el Estado de Iowa quedaría pronto transformado en un desierto nórdico. Difícilmente los coches podrían circular: por las calles, avenidas, autopistas y carreteras, ya que la nieve alcanzaría una altura de dos metros y no existían suficientes máquinas para despejarlas. Situada a la altura del paralelo cuarenta y de clima continental, el grado de humedad de sus tierras (no solamente regadas en sus límites por los ríos Mississippi y Missouri y a lo largo y a lo ancho de todo su territorio por el Des Moines, el Iowa —palabra sioux— y otros cientos de afluentes que cuadriculan todo el territorio del Estado) había hecho de sus ciento cuarenta y cinco mil cuatrocientos quince kilómetros cuadrados una inmensa granja —donde se cultiva maíz, trigo, cebada, avena, patatas, frutas y legumbres— capaz de alimentar a todos los habitantes del norte de la Unión: casi cien millones de seres.

—Paradójicamente —me dijo el sheriff al entrar en su despacho— se ha convertido usted de acusado sospechoso del atentado contra Ersi Sotiropoulou en un implacable acusador a partir de la muerte de Melania y no digamos desde esta tarde tras el asesinato de Dorothy Johnson. Ya tengo toda la información necesaria —continuó— para aceptarlo como colaborador, cosa que, como ve, ya hago recibiéndole. No obstante, quiero aclararle que tanto David Benton como usted no son los que deben realizar la investigación de los crímenes, sino simplemente de los posibles motivos por los que éstos se han producido. Son cosas completamente distintas que me ha parecido imprescindible aclararle. Washington y Des Moines pueden efectivamente utilizar los servicios de información sólo desde dos puntos de vista: el del posible espionaje político o industrial, pero en manera alguna deben inmiscuirse en la investigación de los crímenes. Tanto el hombre de Omaha como usted me tienen harto no sólo a mí, sino al fiscal, que me ha aconsejado telefónicamente hace unos momentos que les diga cuáles son sus limitaciones al respecto.

—Le doy toda la razón. Sin embargo, tanto David Benton como yo nos hemos visto obligados a mantener esta actitud en cuanto no se nos han comunicado los posibles secretos que cierran el sumario.

—Les hemos entregado sólo lo que podíamos legalmente; las declaraciones formuladas por los componentes del Programa Internacional.

—Las conozco, sí; pero ellas no fueron suficientes para aclararme algunos puntos oscuros que he tenido que investigar por mi cuenta. Pienso que la mayoría de esas declaraciones están llenas por una parte de falsedades y por otra de fantasías; algo, por otro lado, absolutamente natural en cuanto han sido formuladas por verdaderos profesionales de la imaginación y la mendacidad, lo que, con independencia de su talento literario, son las armas que siempre saben esgrimir brillantemente los escritores.

—Y que usted está esgrimiendo también, como escritor que es, contra la policía local —me contestó el sheriff.

—Ésa es otra cuestión y por culpa de mis sutilezas ha cambiado usted el tema. Insisto en que ni a David Benton ni a mí se nos ha informado de las posibles pistas que sigue la policía local. No es de extrañar, pues, que nos veamos obligados a investigar por nuestra cuenta, ya que hemos de informar él a Washington y yo a Des Moines de las posibles vinculaciones que los crímenes pueden tener desde el punto de vista de un posible espionaje industrial, no político por supuesto, problema en el que, de existir, no entraría.

—¿Cree usted en esa posibilidad?

—En absoluto —le contesté.

—Entonces ¿por qué no abandona el asunto?

—Sencillamente por dos razones: primera, porque he sido nombrado colaborador de los servicios de información por el Gobierno del Estado y he de cumplir la palabra dada de investigar el posible espionaje industrial, y segunda, porque se me paga excelentemente por hacerlo —le respondí.

Con un gesto en él habitual, el sheriff metió los dos

pulgares de los dedos en su cinturón para terminar diciéndome:

—Tenga cuidado conmigo. Si continúa en este plan, me veré obligado a acusarle de cualquier violencia que mandaré ejecutar a mis agentes y de la cual será culpado. Por ejemplo, pegarle fuego a una granja, maltratar a un negro, intentar violar a una estudiante universitaria...

Trece

EL ENTIERRO DE DOROTHY JOHNSON

Dorothy Johnson sería enterrada tres días más tarde de su asesinato en el cementerio Memory Gardens, situado frente a la casa de Robert y Betty en la avenida Muscatine. Su cadáver había permanecido veinticuatro horas en el Hospital General, donde le fuera practicada la autopsia, y treinta y seis en el edificio de la funeraria municipal.

Todos los participantes del Programa fuimos invitados a asistir, primero a las honras fúnebres en la iglesia anabaptista, secta cristiana surgida en Alemania en 1523 y fundada por el discípulo de Lutero, Tomás Munzer, decapitado en 1525.

Sostienen los anabaptistas que los niños no deben ser bautizados antes de llegar al uso de la razón y rebautizados en la adolescencia los que recibieron las aguas bautismales siendo niños, lo que, según un tío de Dorothy, dueño de una zapatería situada en la calle Washington, le había sucedido a su sobrina siendo estudiante de filología en la universidad, anécdota que me refirió cuando entré junto a él en el cementerio, lugar que me era tan familiar ya que las noches que pasé con Betty, cada vez que me levantaba para dirigirme al baño, contemplaba desde la ventana de guillotina del dormitorio, sus lápidas y cruces, y, sólo en una ocasión, las azuladas y trémulas lenguas de los fuegos fatuos.

El Programa puso a disposición del curso un autobús universitario para llevar —a los que quisimos asistir— a la exhumación del cadáver de la secretaria administrativa del Mayflower, cuyo asesinato había conmovido mucho más a los residentes que el crimen del que fuera víctima Melania Schoech.

No obstante el elevado número de asistentes al entierro, un par de centenares de personas, incluyendo las autoridades locales, universitarias y gran número de comerciantes e incluso de granjeros, el entierro se celebró sin ningún tipo de protocolo ni ceremonia, aunque quedaron depositadas, por supuesto, sobre su tumba, decenas de coronas de flores adornadas con cintas de moaré o de raso estampadas con largas y poéticas dedicatorias transcritas de libros sagrados: «Montaba un caballo blanco, mantenía un arco en las manos, diósele una corona para que saliera victoriosa», Apocalipsis, capítulo VI. «La apariencia de la vida en este mundo transcurre sólo en unos instantes», Pablo, capítulo VII, epístola a los corintios. «Los sepulcros se abrieron y los cuerpos de muchos santos resucitaron», San Mateo, capítulo XVII.

Aunque a lo largo de la exhumación se mantuvo el más absoluto silencio y ninguno de los asistentes hizo el menor comentario sobre el crimen, una vez fuera del cementerio —en el fondo un parque más de la ciudad, donde incluso los sábados y domingos de primavera van a jugar los niños—, los grupos afines comenzaron a entablar largas polémicas sobre el asesinato, y a preguntarse por qué todos los años eran invitados a la universidad, desde hacía ya dieciocho, a veces incluso medio centenar de extranjeros que no sólo habían comenzado a transformar, sino a destruir la cultura ya centenaria de los ciudadanos de Iowa. Ellos, sin duda, habían sido los asesinos de Dorothy Johnson.

En vez de regresar en el autobús al Mayflower, decidí cruzar la avenida Muscatine y pulsar el timbre de la casa de Robert y Betty. Normalmente —como es preceptivo—, cada vez que había hecho una visita a la pareja les había llamado previamente por teléfono. Pero mi inesperada llegada no causó a Betty el menor asombro, estrechándome larga y cariñosamente la mano tras darme un explosivo beso.

* * *

—Robert se encuentra en Des Moines —me dijo Betty— y yo acabo de vestirme para salir a dar una vuelta, ya que no resisto la soledad. A punto estuve de llamarte por teléfono. Pero pensé, como en efecto ha sucedido, que asistirías al entierro de la pobre Dorothy. Con respecto a su asesinato, ya tendremos ocasión de hablar, pues presiento que intentarás dormir conmigo esta noche. Con Dorothy me unió hace un par de años una buena amistad, pero rompimos nuestras relaciones y ya ni siquiera nos saludábamos. Éste no es, por supuesto, el motivo de que no haya cruzado la calle para asistir a su entierro, ya que prácticamente lo hago siempre desde la ventana de mi alcoba cuando me encuentro en casa, cosa que no he hecho hoy, pues me hallaba a punto de entrar en la ducha cuando asomó el furgón fúnebre por la esquina de la calle Wade.

—Entonces piensas salir, ¿no? —le pregunté.

—Naturalmente.

—¿Cuál era tu proyecto? Imagino que, desde luego, pretendías buscar alguien con quien poder pasar la noche.

—Mi intención era ir al cine, cenar en el restaurante Submarine un sandwich de pavo calentito y luego a bailar a una discoteca punk que acaban de inaugurar en la avenida Standford.

—¿Pero es posible que te guste la música punk? Ya no eres una niña.

—Sabes que no he cumplido aún los treinta años. Tengo veintisiete.

—Dispensa, Betty, pero frente a los defensores de esa nueva cultura de la mierda, resultas una anciana; aunque ya advertí, la noche que cenamos juntos solos, la gran impresión que te producen los efebos. Me hubieras mandado encantada a hacer puñetas para terminar de pasar la noche con cualquiera de los jóvenes o incluso de las jóvenes que cenaban cerca de nosotros, a los cuales flechabas también con tus ojos de lince.

—Me resulta increíble lo mucho que psicológicamente te pareces a Robert. En el fondo los dos sois un par de bandoleros de la España del siglo XIX descrita en sus libros de viaje por Richard Ford. Ninguno de los dos podéis evitar ser unos machistas empedernidos.

—Un macho no consiente que le pongan los cuernos, y estoy seguro que él sabe de tus infidelidades.

—Te equivocas, si lo supiera me mataba.

—Por favor, dejemos el tema. Si estabas dispuesta a salir esta tarde y quieres que te acompañe al cine lo haré encantado. Caso contrario te pido que al menos me dejes en tu coche en el centro y te dirijas sola a donde te plazca.

—Lo ves, lo que te dije, resultas increíble. ¿No te

has dado cuenta aún que quiero que pasemos no sólo la tarde sino la noche juntos?

* * *

Al desembocar en la calle Burlington, rogué a Betty que detuviera el coche y lo aparcara en la esquina del College Court Park. Tras hacerlo, me preguntó:

—¿Puedo saber qué pretendes? A lo mejor has visto al asesino del Mayflower. No me extrañaría.

—No exactamente; sin embargo, caliente caliente...

—Me temo que, una vez más, pretendes quedarte conmigo. Seguro que se trata de otra cuestión.

—Espérame, por favor, tardo sólo un par de minutos.

—¿Acaso no puedo acompañarte?

—No.

—Entonces, seguro que estabas citado esta tarde en el centro con una dama, a la que has descubierto entrando en cualquier bar al que vas a dirigirte para justificarte con ella y quedar citado más tarde.

—Es posible. Discúlpame. Estoy de regreso en seguida.

—De acuerdo —me contestó—; sea por lo que fuere, he de aceptar esta escapada tuya, siempre y cuando vuelvas rápidamente en efecto. Caso contrario, dejaré el aparcamiento y marcharé sola a echar una cana al aire.

El frío no era demasiado intenso aquel anochecer y, por fortuna, ni corría viento del Norte ni llovía. Abandoné el coche y di la vuelta a la manzana del College Court Park para regresar a la calle Dubuque y entrar en un bar, tal como Betty había imaginado que haría. Se trataba de un pequeño local envuelto en penumbra donde media docena de granjeros, tocados con sombrero stetson, calzados con botas de media caña y abrigados con canadienses de cuadros de vivos colores, se encontraban, silenciosos, en la barra, tomando las típicas jarras de porcelana rebosantes de cerveza. Uno de ellos acababa de dirigirse a la máquina de discos para hacer sonar una vieja melodía de Sinatra. Olía a tabaco de Tampa, a serrín húmedo, a desodorante y a vapor de café, recalentándose bajo la espiral del infiernillo eléctrico. Solicité a la camarera, que limpiaba con una esponja la barra, un whisky de Kentucky —el único que había— y mientras me lo servía me dirigí al lavabo. Ya dentro de él entreabrí la puerta —preceptivamente como siempre, de abanico— y clavé la mirada en la oscuridad del fondo del pequeño salón para reafirmar la presencia de la pareja que se hallaba sentada al fondo de una mesa, a uno de los cuales había visto entrar en el bar cuando pasara por la calle Dubuque en el coche con Betty.

De buena gana, si posible fuera, y de poseer unas esposas y un colt del 45 colgando de mi cinturón, lo hubiera desenfundado para detener a los asesinos del Mayflower que se encontraban conversando en la penumbra. Todo estaba ya para mí definitivamente claro, tal como había sospechado desde el día en que entrara en la sauna con Baharauddin Zainal y descubriera asombrado en la vitrina de los animalitos de porcelana en erección, un pequeño felino con un lazo rosa al cuello, idéntico al que se correspondía con las cortadas orejas del gato de porcelana encontrado por la policía en el apartamento de Ersi Sotiropoulou y junto al cadáver de Melania Schoech.

* * *

Cuando regresé al aparcamiento del College Court Park, Betty había desaparecido. Mejor, mucho mejor, es preferible que se haya ido, me dije. Para mí representaría un verdadero problema moral ponerme a hacer con ella esta noche el amor en su casa mientras desde las ventanas del salón o de la alcoba, frente a mí, a cincuenta metros escasos, se encontraba sepultado el cadáver de la pobre Dorothy Johnson, asesinada no por implicaciones de espionaje industrial, sino por simple venganza, por celos, por locura.

Era inconcebible que en un mundo tan tecnificado y donde la psicología, utilizada invariablemente como la diosa de las ventas y el marketing, desde la policía local a Washington, pasando por el Gobierno del Estado, hubiera trastocado las razones de los crímenes ocurridos en el Mayflower, dejándose llevar invariablemente como de costumbre por el denominado patriotismo, en el fondo sólo y exclusivamente la defensa empresarial de las compañías multinacionales por las cuales la nación había hecho —y continuaría haciendo— la guerra, la paz, las intrigas, las negociaciones, los convenios, para sostener un imperio no basado en el expansionismo geográfico ni en razones teológicas ni de poder personal, ya que sólo y exclusivamente cuenta el dólar y sólo él, pasaporte no para el más allá aunque sí para mañana, pasado y los próximos años, en cuanto no es posible utilizarlos ni como espejo de meditación moral ni como «rosario» de las oraciones recitadas al Altísimo, en el cual sería preciso creer para seguir viviendo.

Pese a los cambios operados en los últimos años en el país —donde la juventud ha regresado de alguna manera al conservadurismo y mucho más en un Estado siempre tan poco liberal como el de Iowa—, la interpretación de las pasiones sentimentales al viejo estilo han muerto definitivamente a partir de los años sesenta en que tuvo lugar el fenómeno social de los movimientos hippies. La juventud se sublevó contra la sociedad de sus padres buscando nuevas experiencias que les llevaran a la felicidad de su cuerpo y de su espíritu utilizando para ello como vehículo del cambio social desde la no violencia al irracionalismo místico, desde la revolución sicodélica a la idealización de Eros. Se intentó fundar un nuevo mundo al margen de la tecnología, de la deshumanización del dólar, y de la injusticia. Los antecedentes del fenómeno son incluso anteriores a la sexta década del siglo. Al comienzo de los años cincuenta las esperanzas liberales habían muerto, el senador MacCarthy dominaba el país, y una sociedad, aún casi feudal, se agarraba con sus largas uñas al conformismo. No obstante, millones de marginados se encontraban fuera del consumismo, marginación multiplicada por sí misma en la raza negra, generando conjuntamente un tipo característico, el *hipster*, que por mimetismo asumía los supuestos sociales de los *hell angel* y de los *teddy boy*. A la vez nació el *beatnik*, palabra derivada de *beat*, golpe, y *nik*, sílaba judía. La juventud hipster, sin embargo, desapareció cegada por su odio a la burguesía y su amor a la heroína. La generación beat, otra *generación perdida*, buscaba fundamentalmente la felicidad. Según Kerouac, se trataba de una generación mística alienada por la religión. Pero fueron los años sesenta los definitivos para que la juventud experimentara un cambio total. Fue entonces cuando nació el movimiento hippy que cantara el *poder de la flor*, frente a la violencia de la guerra del Vietnam e incluso contra el presidente Kennedy. No puede desvincularse del movimiento hippy a Herbert Marcuse, el profesor de la escuela de Frankfurt y principal ideólogo que debía canalizar el movimiento y que se concretaba en una clara oposición contra la opresión del sistema que gracias a la productividad *destructiva* convertía a la sociedad en inhumana al ser todo pura mercancía. En un momento dado —ya por supuesto pasado—, cientos de miles de estudiantes del Norte —incluyendo, por supuesto, los de la universidad de Iowa— bajaron al Sur para colaborar con los negros en la creación de las listas electorales.

La característica fundamental de la revolución hippy fue la defensa de la libertad sexual para dinamitar la «hipócrita moral de la sociedad burguesa». El sexo para ellos dejó de ser un mundo clandestino de casas de citas, moteles, amueblados y lechos conyugales; el amor debía hacerse cuando se quisiera y como se quisiera, tendido incluso en el césped de los parques y de los jardines y no ocultos —como era habitual— dentro de los automóviles. Fue esta nueva concepción erótica la base de la liberación femenina y de otros movimientos reivindicativos, como el gay.

Un mundo nuevo, sí, muerto ya para siempre sin embargo y del que ya ha quedado sólo lo que el consumismo ha podido asimilar. No obstante, Eros ha cambiado no solamente en los Estados Unidos, sino en el mundo, y el sexo ha dejado de tener aquella importancia apasionada que se mantuvo durante siglos, y que aún sigue teniendo vigencia en los países dictatoriales, incluyendo la América meridional, muy especialmente en el Cono Sur: Chile, Uruguay, Argentina...

Los proyectores que enfocan cada noche la dorada cúpula del Antiguo Capitol, donde ya habían sido arriadas las banderas de las barras y las estrellas y la del Estado, quedaron de repente encendidos. Habían dado, pues, las siete, y el centro de la ciudad comenzó a poblarse —a medias— de universitarios que acababan de abandonar las aulas y que antes de regresar a sus respectivas residencias se permitían entrar en bares, restaurantes y salones de té para permanecer en ellos; nunca más de una hora aproximada sin embargo, en cuanto la dura disciplina universitaria les obliga inexorablemente a dedicar todas sus horas de ocio al estudio. Sólo a lo largo de las noches de los sábados pueden permitirse el lujo de asistir a una discoteca, beber, fumar marihuana y hacer el amor.

El viento del Norte comenzó de nuevo a soplar silbando sobre las ramas de los árboles ya sin hojas. La temperatura descendió en unos minutos casi diez grados. Decidí dirigirme al bar Mickey, y lo hice caminando, con las manos en los bolsillos del anorak ya que había olvidado las manoplas de lana que adquiriera mes y medio atrás en Kalona, la tarde misma que descubrí que la manta en que se envolvía el llamado sioux o cherokee en su intento de asesinato de Ersi Sotiropoulou no era india, sino *alemana*.

CATORCE

REGRESO A GRINNELL

A MI REGRESO DE GRINNELL, donde había mantenido una entrevista muy especial con Clara Carey, David Benton —de vuelta de Washington, donde había permanecido a lo largo de una semana— me telefoneó al Mayflower para concertar una cita por la tarde en la cafetería del Memorial Union.

—El espionaje industrial —me dijo el hombre de Omaha, sentado frente a mí ante una mesa del salón oval, situada junto al entarimado de la orquesta, por fortuna vacío aún de bombos y platillos, saxofones y flautas, guitarras, acordeones y baterías— se ha transformado definitivamente a partir de la segunda guerra mundial en espionaje político.

—Lo sé. La culpa la tiene la situación armamentista que vivimos, ¿no?

—Sí, claro, naturalmente. Sin embargo, nosotros los Estados Unidos no necesitamos realizar ese tipo de espionaje en los países del Este. Nos basta y nos sobra nuestra propia tecnología.

—Que soléis vender invariablemente a un magnífico

precio, siempre y cuando no pueda ser utilizada en contra de vuestro propio país.

—Ese tipo de tecnología que no podemos vender es la que se nos está robando más cada día. Y es por ello por lo que nos vemos obligados a buscar colaboradores, aunque sean extranjeros, que nos defiendan de los muchos intrusos que constantemente nos asedian clandestinamente. No obstante, hay países, como Japón, que nos robaron una técnica que estimábamos carente ya para nosotros del menor interés. Técnica que ellos han puesto al día y que pretenden ahora vendernos.

—Naturalmente, veo que no se refiere a la electrónica, sino a los automóviles.

—En efecto.

—Hace dos días, he leído en el *Daily News*, de Nueva York, que han llegado mil ingenieros japoneses para mejorar la técnica automovilística, algo, para mí, incomprensible.

—No se preocupe. Es algo que no volverá a sucedernos. A lo largo de diez años perdimos el predominio técnico sobre muchas más cosas de las que usted imagina. Cometimos grandes errores al estimar que no necesitábamos continuar investigando ni sobre la fabricación de automóviles, ni de electrodomésticos, ni de cámaras fotográficas, ni de miles de útiles de la sociedad de consumo que podíamos comprar a un precio muy reducido en distintos países, especialmente en Japón. A todo eso hemos puesto ya punto final, como le digo; siendo éste el motivo por el cual sospechamos que detrás de los crímenes del Mayflower se oculta...

—No se oculta nada, David. Los crímenes del Mayflower no guardan la menor relación con el espionaje industrial, como sospecha. Puedo asegurarle que se trata de algo tan antiguo como el mundo: la pasión, los celos y la locura. Renuncio, pues, a mi papel de informador de sus servicios. Y hasta tal punto quiero demostrarle que tengo toda la razón que le ruego me permita la devolución del talón que me ofreció el gobernador en Des Moines.

—Entonces, dígame ya, por favor, quién es el criminal. Con respecto a esos dólares que le entregamos, lo siento pero no puede devolvérnoslos.

—El nombre o, mejor dicho, los nombres de los criminales le serán facilitados por ellos mismos, concretamente de aquí a tres días tras la reunión que usted y el sheriff organizarán en Kalona, en el salón Mennonite, en que se reúnen todos los años los componentes del Programa; lugar en que estuvimos por cierto a principio de curso.

—Por lo visto, pretende convertirse en Sherlock Holmes, y ése no era nuestro propósito al solicitar su colaboración.

—No, querido David; en el doctor Watson. Ya que le dije al sheriff que Sherlock Holmes era él, y yo su ayudante.

—Pienso —me contestó el hombre de Omaha— que si en los crímenes del Mayflower no existe, como sospechábamos, la menor vinculación con el espionaje industrial, debía usted indicarnos la verdadera pista y no convertirse en protagonista del descubrimiento, como pretende. Ni el sheriff ni el fiscal lo consentirían, hasta el punto, cosa que por supuesto le he terminantemente prohibido, que el sheriff pretendía culparle de un delito de violación por él previamente preparado para que se abstuviera usted de seguir por un camino que no es el que le corresponde.

—¿Acepta organizar como le he indicado esa reunión en Kalona?

—No creo que sea posible. En un asunto local, como usted asegura, el FBI no está autorizado para inmiscuirse —me contestó David Benton.

—Pero se inmiscuyó —le respondí—. Algo que, en un principio, desconcertó a Cid Corman, el participante norteamericano del Programa que me aseguró que lo único que justificaba la intromisión de un agente federal en algo de lo que debiera ocuparse sólo el sheriff o en última instancia el fiscal del condado y, por supuesto, la policía del Estado, era en que si alguien, por ejemplo, roba un caballo o un cerdo en Iowa el asunto es de la exclusiva competencia del sheriff, pero si el ladrón se lleva el animal a Nebraska ha cometido un delito federal.

—En efecto, pero éste no era el caso. Confidencialmente quiero decirle que si en un principio el atentado contra Ersi Sotiropoulou nos obligó a intervenir imaginando que la culpable había sido Melania Schoech, el asesinato de Melania nos desconcertó aún más.

—¡Cómo! ¿Pensaban que era Melania Schoech la que intentó asesinar a la griega?

—Sí. Teníamos datos sobrados para imaginarlo. Antes de que usted nos lo comunicara, sabíamos que era nieta de un banquero filipino que colaboró con los japoneses en la segunda guerra mundial y que durante su primera estancia en Estados Unidos, tras haber contraído matrimonio en Manila con un médico estadounidense, hizo espionaje industrial a favor de los japoneses. Informada, no sabemos cómo, de que habíamos descubierto sus actividades, solicitó el divorcio, que le fue concedido, y regresó a su país, ya que, de permanecer en Rokland, Maine, hubiera sido acusada de espía, y permanecido en la cárcel por lo menos doce años. He aquí, pues, por qué aseguraba que continuaba enamorada de su ex marido. Y, en efecto, lo estaba, pese a sus relaciones con Gyorgy Skourtis.

Las palabras de David Benton me dejaron sorprendido. No podía imaginarlas. La intromisión del FBI en los crímenes del Mayflower estaba, pues, más que justificada. No obstante esta confidencia que el hombre de Omaha me hizo para que a cambio le facilitara el nombre de los asesinos de Melania y de Dorothy y del intento contra Ersi Sotiropoulou, me negué a darlos.

Volví a insistir en la reunión en Kalona; algo que se vio obligado a aceptar tras la previa autorización —que solicitaría aquella misma tarde— del sheriff y del fiscal del condado. Antes de despedirnos, David Benton me preguntó:

—¿Puede decirme para qué ha ido de nuevo a Grinnell? Pensé que se trataba de algo relacionado con la investigación. Pero advierto que eso era imposible. Fue a ver a Clara Carey, ¿no?

—Ésa es una pregunta a la cual no estoy obligado a contestar —le respondí.

Tras sonreírme irónicamente y estrecharme la mano, el agente federal abandonó el salón oval y se perdió en el pasillo enmoquetado que conducía a la salida del Memorial Union. Minutos más tarde los componentes de una orquesta de rock subían al entarimado. Abandoné la mesa y me dirigí a la barra para solicitar un vaso de vino rossé antes de abandonar el edificio.

* * *

El viaje que había realizado a Grinnell dos días atrás fue debido a obvias razones, tras la llamada telefónica que recibí de Clara Carey para decirme que necesitaba verme con toda urgencia. En poco más de dos horas llegué a media mañana al pueblo universitario y lo primero que hice, antes de dirigirme a la casa de Clara —cuyo marido se encontraba como de costumbre ausente—, fue penetrar en el campus del College para saludar a Jorge Mariscal, que en aquellos momentos había terminado de almorzar y al que descubrí paseando envuelto en un abrigo de piel de foca por el acerado de cemento, ante la antigua casa del rector. Aparqué el automóvil frente al edificio de la biblioteca y me dirigí a él, que se quedó sorprendido al descubrirme.

—¿Qué haces por estos lares? —me preguntó—. He intentado localizarte por teléfono sin jamás conseguirlo. Nunca estás en casa. Los crímenes del Mayflower se han convertido en un episodio absolutamente pintoresco para mis estudiantes; algunos de los cuales, que te conocen, me han llegado a decir si no serías tú el asesino; otros aseguran, por el contrario, que eras tú el único que serías capaz de descubrirlo. ¿Cómo te encuentras?

—Bien, ya ves.

—No tengo que decirte, pues lo supondrás, que un par de agentes de la policía de Iowa City vinieron a verme para interrogarme sobre tu estancia en Grinnell la noche del intento de asesinato de Ersi Sotiropoulou.

—Lo imaginaba.

—Me limité a decirles que, en efecto, habías pasado aquí aquella noche. Naturalmente, no hice el menor comentario con respecto a la dama con la que viniste a encontrarte.

—Lo presentía. Sé que eres un caballero.

—Supongo que no ha recaído sobre ti ninguna sospecha.

—Sólo al principio. Es algo ya superado.

—¿Se sabe ya quién es el criminal? Las noticias que tenemos aquí, llegadas a través de la radio, la televisión y el *Iowa Daily*, no pueden ser más contradictorias, y los alumnos, de los que ya conoces su carácter, tan influidos aún, aunque parezca mentira, por Gary Cooper, no hablan desde hace mes y medio de otra cosa. Por lo visto, el mundo del crimen los apasiona.

—Como a todo el mundo.

—Voy a hacerte una pregunta, Alberto. ¿Imaginas quién puede ser el asesino? Presiento que lo sabes.

—Estoy sólo en la pista; pero nada más.

—Seguro que lo has descubierto dadas tus aficiones detectivescas, pero supongo que es un secreto que no me puedes aún revelar. Cambiemos de tema. Me alegra mucho verte y que estés en Grinnell, naturalmente, no en el College, pese a que hayas venido a saludarnos, y quiero agradecerte en nombre del rector tu gentileza al recomendarnos al escritor irlandés Desmond Hogan para que nos diera una conferencia sobre Joyce.

—Resultaría excelente, ¿no?

—En efecto. Es una persona encantadora, pese a su juventud, y un verdadero especialista en literatura en lengua inglesa. ¿Estarás esta noche en Grinnell? Me gustaría invitarte a cenar, aunque supongo que lo harás con madame Bovary, apodo que han puesto nuestros alumnos de literatura comparada a tu amiga Clara Carey.

—Confidencialmente, puedo decirte que he venido a verla. Estoy citado a las dos en su casa.

—Pues son menos diez.

—Te dejo. Y, no obstante la cita que tengo concertada con ella, es muy probable que esta noche tengamos la oportunidad de cenar juntos. Su llamada telefónica, que me ha obligado a venir a verla, no creo que guarde la menor relación con el hecho de que pasemos también la noche juntos. Posiblemente se trata de algo muy distinto, aunque naturalmente aún lo ignore.

—Espero, si te es posible, nos veamos al anochecer, tras haber finalizado, por supuesto, mis clases. Llámame por teléfono.

Tras despedirnos, subí al coche, di la vuelta completa a la manzana y abandoné el campus para cruzar el centro del pueblo y dirigirme a casa de Clara, situada al Noroeste, en una zona residencial circundada de abedules. Aunque la temperatura era de un par de grados bajo cero, el cielo se había, repentinamente, despejado de nubes y el sol hacía rebrillar las florestas de los parterres y el añil y los carmines que perfilan los ángulos y zócalos de los chalets de madera en algunos de cuyos corrales traseros gruñían los cerdos, zureaban las palomas y ladraban los perros, pese al alto estatus social de los residentes. Al fin y al cabo, Grinnell mantiene su tradición artesanal y agrícola como todos los enclaves rurales de los condados del Estado. Cuando pulsé el timbre de la puerta azul cobalto de la casa de Clara, salió a abrirme una sirvienta de color vestida de crespón negro, con un delantal blanco almidonado y una cofia de encajes.

—¿Qué desea el señor? —me preguntó.

Me limité a darle mi nombre.

Con su característica sonrisa africana que dejó al descubierto sus blanquísimos dientes, la criada —doncella de Clara, como supe más tarde— me rogó que pasara al salón y me sentara en un sofá color fucsia situado al fondo, a la izquierda del piano de media cola y bajo una araña de cristal de Bohemia. Paradójicamente, la casa de Clara se encontraba conectada en el mobiliario con el antiguo rectorado del College transformado en hotel: veladores de palo santo, porcelanas alemanas, óleos, paisajes, alfombras persas y turcas, repisas de marquetería, candelabros y antiguos pañitos de crochet. Más tarde supe —según me contó Clara Carey— que el mobiliario había sido traído por su marido de Nueva Orleans, concretamente de Baton Rouge, donde sus padres mantenían aún una plantación de algodón.

Inexplicablemente, Clara no apareció hasta veinte minutos más tarde. En el ínterin comencé a reflexionar sobre los motivos de la entrevista concertada. Por fin, finalmente, recordé la amistad que le unía con Betty y que posiblemente ambas habían mantenido una conversación telefónica que guardaba una probable relación con los crímenes. En el momento en que encendía un Don Manuel, pues había descubierto, en una caja de plata situada sobre un velador, unos excelentes cigarros de Tampa, Clara Carey hizo su aparición, vestida con un traje de lino blanco, ofreciéndome su mano para que la besara, ya que en aquel momento su doncella había entrado también en el salón a cambiar las flores del jarrón de porcelana situado sobre el piano de media cola. Cuando la sirvienta desapareció por el pasillo lateral izquierdo, volviendo la cabeza para sonreírme, Clara me dio un beso en la mejilla izquierda, que le devolví, y se sentó a mi lado en el sofá.

—Supongo que imaginarás por qué quería que nos viéramos, ¿no?

—No tengo la menor idea. Pienso que contigo, a pesar de que sólo nos hemos tratado un par de veces, nunca se sabe. Adivino, no obstante, que sólo dos problemas te han sugerido la idea de llamarme por teléfono, como hiciste: o matar tu soledad con mi compañía o solicitar mi información sobre los crímenes del Mayflower.

—Ambas cosas, mi querido Alberto —me contestó—. Además, acabas de utilizar la palabra adivino, seguramente por culpa de la *adivina* Betty, con la que al parecer te une una particular amistad.

—Hace apenas quince minutos y tras esperarte en este salón, imaginé que tú y Betty habíais mantenido una conversación, larguísima sin lugar a dudas. Y que éste había sido el motivo de concertar conmigo una entrevista. Si llego a sospecharlo antes, no vengo a verte.

—¿Cómo que no vienes? La verdad es que no comprendo cómo después de haber pasado dos noches juntos, en las cuales me aseguraste haber sido muy feliz, tal como yo lo fuera, no has tenido la gentileza de telefonearme para vernos de nuevo, bien en Iowa City o aquí, tal como hubieras deseado.

—Mantener relaciones con una mujer casada no es lo mismo que tener con ella una simple aventura. Por otro lado, tras el intento de asesinato de Ersi Sotiropoulou, la policía local se vio obligada a realizar una investigación con respecto al lugar en que me encontraba aquella noche. Naturalmente, me negué a decirles que la había pasado contigo, pero, inexplicablemente, ellos ya lo sabían.

—Fui yo la que se lo dije al sheriff. ¿Cómo no iba a hacerlo? El hecho de estar casada no significa que haya perdido el derecho a mi libertad.

—Quiero decirte, no obstante tu punto de vista, que por supuesto respeto, que mi sentido del honor me impedía, aunque hubiera sido culpado de asesinato, decir a nadie que había permanecido aquella noche contigo.

—Eres increíble, querido Alberto. Ese honor que mantienes en esta casa sólo se encuentra en los muebles, en las cortinas, en las alfombras, que tienen una antigüedad de siglo y medio por lo menos. El mundo, muy en particular el nuestro, ha cambiado, y continuar manteniendo el sentido del honor me parece absurdo y ridículo; no obstante, respeto tus personales puntos de vista como tú aseguras respetar los míos.

—Bien, dejemos esta historia. ¿Puede saberse por dónde quieres que empecemos?

—Mi soledad ya la has hecho desaparecer; por tanto, lo que necesito ahora es que me digas quién es el asesino. Según me ha asegurado Betty, lo sabes.

—¿Cuándo regresa tu marido?

—Ni idea. Se encuentra en Nueva York. Calculo que la próxima semana.

Me aproximé a Clara y la estreché entre mis brazos. Luego le acaricié suavemente los muslos hasta que se sintió tan excitada que me cogió de la mano y me arrastró hasta su alcoba. En el reloj del barroco salón, a la izquierda de las cortinas de encajes que cubrían los ventanales, un pequeño y antiguo reloj de cucú dio trémulos gritos de avecilla para anunciar las tres.

QUINCE

EXCURSIÓN A EAST MOLINE

POR SUPUESTO —y tras hacer el amor hasta las siete de la tarde, siguiendo como es en mí costumbre habitual las normas del Kamasutra—, no dije a Clara Carey una sola palabra con respecto a los nombres de los asesinos del Mayflower, pese a que me lo suplicó incluso de rodillas en una escena que por culpa de la decimonónica decoración del dormitorio —sábanas de hilo, tarlatanas, cortinaje de seda, cama estilo Imperio, colcha de damasco...—, me hizo evocar una literaria escena romántica.

Tras abandonar su casa me dirigí al campus del Grinnell College para despedirme de Jorge Mariscal. A continuación, volví a subir al coche para regresar a Iowa City. Era ya noche más que cerrada cuando desemboqué en la autopista número ochenta. Corría ahora el viento del Este húmedo y frío llegado de los límites fronterizos con el Estado de Illinois, donde serpentea el Mississippi. Al llegar a la altura de Conroy y de Amana, la segunda colonia alemana del condado, una avioneta con los faros encendidos cruzó por tres veces consecutivas la autopista buscando posiblemente el pequeño aeródromo privado, cuyas luces de balización no habían sido aún encendidas. Pese a la felicidad erótica que había vivido a lo largo de casi tres horas, entré inexplicablemente en un estado de depresión que no supe a qué culpar, aunque quizá fuera debido a la dura condena que tras el inevitable juicio sufrirían los asesinos del Mayflower, dos de mis compañeros del curso del Programa Internacional. Con independencia de que la pena a que serían sometidos era justa, en mi opinión resultaba más culpable de los asesinatos el cómplice de ellos que la ejecutora de los mismos. El asesinato de Dorothy Johnson me había afectado más profundamente que el de Melania Schoech y el intento de homicidio contra Ersi Sotiropoulou. Por otro lado, aún no estaba seguro de que los componentes del curso volviéramos a tener la reunión deseada en el salón de la granja matriz de la colonia alemana de Kalona.

El reloj de la torre de la iglesia anabaptista dio la media de las diez cuando llegué a la ciudad ya completamente desierta. Aparqué en el chaflán de las calles Clinton y Market y me dirigí al bar Mickey para sentarme en la barra y solicitar de la camarera, una estudiante de filología, un whisky bourbon doble. Minutos más tarde entraron en el bar, para sentarse en el velador situado junto a la mampara de cristales, la poetisa polaca Joanna Salomon y el poeta de la República Democrática Alemana Axel Schulze.

La tensión existente entre los dos, que advertí de inmediato, pese a estar separado de ellos una docena de metros, no me extrañó en absoluto. Minutos más tarde iniciarían una explosiva discusión que dejó asombrada a la camarera que acababa de servirles un par de copas de vodka. Aunque ambos habían descubierto mi presencia y pese a la amistad que al principio de curso me unía con ellos, se negaron a saludarme; no obstante, tras haber apurado mi segundo whisky y en el momento de abandonar el local, Joanna Salomon hizo un gesto con la mano izquierda para indicarme que tuviera la amabilidad de acercarme a su mesa. Tras hacerlo, y después de encender el cigarrillo que tenía entre los labios, la poetisa polaca me dijo:

—Como nunca se sabe dónde estás, desapareces y vuelves a aparecer cuando te viene en gana, supongo que no te ha llegado el rumor de que se nos convoca a todos los participantes del Programa en el salón de la granja matriz de Kalona dentro de cuatro días. Resulta inconcebible. Ya estuvimos allí a principio de curso. Recuerdo que te sentaste a mi lado junto a la estufa de fuel-oil durante la media hora que duró el discurso que pronunciara el doctor John A. Hostetler sobre los principios religiosos, filosóficos y económicos que configuraban la comunidad Mennonite. Personalmente, y he estado discutiendo el asunto con Axel, me niego a asistir en esta ocasión, aunque la convocatoria indicara la obligatoriedad absoluta de asistir a ella.

—No tengo noticias —le contesté con una sonrisa feliz y satisfecho de que se hubiera llevado a cabo mi propuesta a David Benton que se lo comunicaría al sheriff y éste al fundador del Programa Internacional—. Verme obligado a volver a Kalona, mi querida Joanna, me produciría una gran alegría. En mi visita anterior no tuve ocasión, pues olvidé la cámara, de fotografiar la centenaria estación de ferrocarril, la antigua centralita de teléfonos, las viejas escuelas, el museo, el *drugstore*...

—Pero eso nadie te lo impide. Siendo como eres el único participante del Programa que dispones de coche podrías hacer esas fotografías cuando te viniera en gana. Personalmente he cogido un par de veces el autobús y visitado sola la colonia alemana para comprar en el bazar algunos recuerdos.

—Siendo alemán como soy —exclamó Axel—, era natural que yo también fuera por allí como he ido. Y no estoy en absoluto de acuerdo con Joanna en negarme a asistir de nuevo a esa probable reunión en el salón de la granja matriz. Ése era el asunto que discutíamos. ¿Ya lo imaginas, no?

—Ignoraba cuál era el tema de vuestra discusión, algo que, como habéis de suponer, no me interesa en absoluto.

—¿Regresas al Mayflower? —me preguntó Joanna.

—Sí. Son más de las once y mañana quiero levantarme temprano.

Tras abonar la consumición, que pagó Joanna, siempre generosa frente a la germánica actitud de Axel, abandonamos el Mickey, cruzamos la calle, subimos al coche y nos dirigimos al Mayflower. Joanna, que se sentó a mi lado, en el transcurso del breve trayecto hasta la residencia me preguntó en el momento en que enfocamos la avenida Dubuque, dónde había estado aquel día y si tenía noticias de que el siguiente los componentes del Programa viajaríamos a East Moline, en el Estado de Illinois, para visitar la fábrica de tractores y maquinaria agrícola John Deere.

—No, no lo sabía.

—Entonces ¿cómo aseguraste que tenías que levantarte temprano? A las siete viene a recogernos el autobús. El viaje durará por lo menos tres horas.

—Si pensaba levantarme temprano, en efecto, era porque pensaba dirigirme al aeropuerto de Cedar Rapids para recibir a un amigo —le mentí.

—Lo que no comprendo —exclamó Axel desde el

asiento trasero y que había seguido en silencio el curso de nuestra conversación— es que en un país como éste, de libre mercado, se nos obligue a visitar una factoría industrial; que esto suceda en los países del Este de Europa, es comprensible, por mucho que se nos critique el que acostumbremos a llevar a nuestros invitados a conocer nuestra industria, pero que pase también aquí, es inaudito.

—También te he preguntado dónde estuviste hoy y, naturalmente, como es tu costumbre, has eludido la pregunta.

—En Liberty City —le mentí— para visitar al párroco de la colonia chicana, español y amigo, con el que he pasado el día.

—Igual me hubieras asegurado que habías viajado a Madrid, la colonia alemana cercana a Des Moines. Tu imaginación no tiene límites. Y lo peor es que la estás aplicando también en el descubrimiento del asesino.

—No sabía que existía una colonia alemana cerca de Des Moines y que se llamara Madrid. Un día que tenga libre iré a visitarla —exclamó Axel.

Tras dejar el coche en el parking del Mayflower, entramos en la residencia, subimos en el ascensor y, al llegar al séptimo piso, nos despedimos para dirigirnos a nuestros respectivos apartamentos, luego de que Joanna me reiterara la obligación de encontrarme al día siguiente por la mañana, como todos, en el vestíbulo para dirigirnos a East Moline.

* * *

«John Deere, el fabricante de la marca más importante de maquinaria agrícola estadounidense, había nacido en Rutland, Vermont, el siete de febrero de

1804, emigrando a los veintiséis años al *nuevo* Oeste», nos explicó un alto ejecutivo, que prosiguió a lo largo de casi media hora contándonos, en la sala de conferencias de la factoría, la historia completa de la compañía cuyos técnicos, obreros y administrativos cubren una nómina de sesenta y cinco mil puestos de trabajo. A continuación, fuimos conducidos a la exposición de maquinaria agrícola donde contemplamos no sólo cosechadoras, excavadoras y tractores, sino trineos motorizados, cortadoras de césped y autotransportes especialmente construidos para deslizarse suavemente, sin mancillar el *green*, por los campos de golf.

Tras la visita a los altos hornos, las cadenas de montaje, los laboratorios de investigación y proyectos y el control de calidad, todos los componentes del Programa, presididos por Paul Engle y Hualing Nieh, nos dirigimos al gran parque que circunda el edificio de la administración general para ser fotografiados frente al lago artificial donde los sutidores trazan en abanico una cortina de fina lluvia a lo largo y ancho de casi media milla.

Situado a un extremo del grupo, mis ojos estuvieron pendientes —en el transcurso de todo el tiempo que duró el encuadre, en cuanto paradójicamente fuimos fotografiados por una vieja máquina de placa, lo que nos impidió hacer el menor movimiento durante los dos minutos que duró la *exposición*— de los asesinos de la residencia Mayflower, vestidos ambos con gruesos pantalones de pana, botas de nieve y abrigos de piel de lobo marino.

Una vez realizada la foto mientras nos dirigíamos a la cafetería para almorzar, juntos unas veces y separados otras, siempre sonrientes, ambos —ella y él— se dedicaban, cada uno por su lado, a mantener un amistoso y cordial contacto con todos los componentes del Programa, los cuales no podían siquiera sospechar que ellos, sólo ellos, ejecutora y cómplice, habían atentado contra la vida de Ersi —con la que por cierto conversaron un par de veces—, enviaron al infierno a Melania y al limbo a Dorothy.

* * *

Tras el almuerzo abandonamos la factoría, para acampar a orillas del Mississippi, pese a que la temperatura era de cero grados, ya que las nubes, como en días anteriores, apenas cubrían en delgados filamentos y altos nimbos el cielo de la Gran Pradera.

Gyorgy y Hani se me acercaron mientras contemplaba las barcazas cargadas de troncos de madera y de contenedores que navegaban río abajo.

—Prácticamente, hace casi una semana que no asistes a ningún acto del curso —me dijo Gyorgy—. Y tanto a Hani como a mí nos ha parecido extraordinario que hayas aceptado venir a esta excursión. Evidentemente, si yo fuera el director del Programa, tras los asesinatos, lo habría clausurado. No obstante, al parecer nos encontramos todos lo suficientemente controlados por la policía y no es preciso, por lo visto, prohibir a los sospechosos de los crímenes, entre los cuales no nos encontramos ni tú, ni yo, ni Hani, a proseguir, como si nada hubiera sucedido, nuestra agenda de trabajo. En Grecia esto resultaría inconcebible, y no digamos en Egipto, según Hani.

—Inevitablemente, y ahora supongo que mucho más tras el asesinato de Sadat, en mi país esta situación no sería evidentemente posible.

—Criticar la libertad es para mí, sin embargo, completamente absurdo. Acepto, pues, las reglas del juego prescritas por la Constitución, y en este caso concreto por el fiscal del condado, que es el que lleva las riendas de la investigación.

—Pues no es eso lo que se rumorea —me contestó Gyorgy—. Al parecer te encuentras vinculado no sólo a la policía local, sino al FBI, para colaborar con ellos en la investigación de los crímenes. Ciertamente que ni Hani ni yo tenemos tus aficiones detectivescas, pero tenían que haber considerado que también nosotros como tú estábamos ausentes del Mayflower la noche del asesinato de Melania. Por tanto, y sólo de alguna manera, nos podíamos haber convertido también en colaboradores.

—Querido Gyorgy —le contesté agresivamente—, en el Programa, y fuera de él, tú eres la persona que más apetito femenino despiertas.

—¿Qué quieres decir con eso? —me preguntó Hani.

—Él sabe bien a qué me refiero —le respondí.

Gyorgy Skourtis bajó los ojos y no hizo el menor comentario sobre mis últimas palabras. Luego, para cambiar el tema, señaló en aquel momento un gran yate que navegaba aguas arriba y desde donde llegaban los compases de una melodía que posiblemente estarían bailando en su interior los propietarios del barco y sus invitados.

El momento no me pareció oportuno, dada la presencia de Mohamed Hani Kamal, para entablar con Gyorgy una conversación que haría referencias a su persona con respecto a los crímenes, al ser él centro radial y protagonista de los celos que habían inspirado el atentado contra Ersi y las muertes de Melania y Dorothy. Sin necesidad de darle ningún nombre, unas cuantas referencias hubieran bastado para que Gyorgy descubriera por sí mismo la identidad de la asesina y posiblemente de su cómplice. Es muy probable, sin embargo que, aunque Hani Kamal no se encontrara con nosotros, me hubiera permitido decirle una sola palabra más al guionista griego, autor de la comedia musical *Lisístrata*.

Nos encontrábamos viviendo un momento clave, auténtico preámbulo de la reunión que al parecer tendría en efecto lugar en Kalona cuatro día más tarde, ya que cuando se alejaron de mí Gyorgy y Hani —para dirigirse al autobús, según me indicaron, y solicitar de Mary Nazareth, una de nuestras asistentes, que les sirviera una taza de café—, el poeta israelita Anton Shamas y la novelista noruega Børjg Vik se acercaron al lugar de la orilla donde me encontraba —minúscula península rodeada de juncos— para preguntarme si conocía las razones por las cuales nos veríamos todos obligados a reunirnos en el salón matriz de la colonia Mennonite.

—¿Por qué lo iba a saber? —les contesté.

—Casi todos sabemos —me dijo Anton Shamas— que te has convertido en colaborador del FBI, y que es muy posible que la reunión en Kalona sea un pretexto, como si se tratara del último capítulo de una novela de Agatha Christie, para descubrir al asesino de Melania y Dorothy.

—En efecto, eso es lo que se dice, Alberto —me confirmó Børjg Vik.

—La imaginación —les contesté— es la principal virtud, pero también el más terrible de los vicios de los escritores y artistas. El hecho de que me haya preocupado, como lo he hecho hasta ahora, por dos asesinatos, no significa que intervenga de la manera que todos suponéis al parecer, en acusar a ninguno de mis compañeros de esos crímenes.

—En cierta medida —me dijo Børjg Vik— tendrías sobradas razones para hacerlo. Estamos al corriente de que mientras a todos los componentes del Programa nos enviaron una carta anónima amenazándonos de muerte, en la tuya se encontraba un folio explosivo que por fortuna fue detectado por la policía antes de que la abrieras.

—Incluso yo mismo creí que aquella historia era verdadera. A mi regreso de Des Moines, adonde fui a visitar a unos amigos, me llamó el sheriff y me puso al corriente del suceso. Falso. No existió tal carta. Me enviaron como a todos vosotros un simple anónimo, pero, en ocasiones, la imaginación del cuerpo policial supera a la nuestra. Se limitaron a inventarse la historia para crear entre todos nosotros una mayor tensión y convertirnos a todos en indirectos colaboradores y descubrir el crimen. Es más, me temo que incluso los anónimos que recibisteis os fueron enviados por el mismo sheriff, y si a mí me tocó recibir la *bomba* fue porque el sheriff se encontraba molesto conmigo al haber iniciado por mi cuenta una investigación.

—Hace un par de días —me dijo Børjg Vik— he telefoneado a mi marido a Oslo para que la próxima semana venga a recogerme para abandonar el Programa y, juntos, hacer un viaje por el Sur. Mi depresión se agudiza cada día más, Alberto. Esto que me has contado me resulta inconcebible, pero te creo. ¿Cómo lo has averiguado?

—Yo también voy a regresar a Jerusalén la próxima semana si me autorizan a abandonar los Estados Unidos —exclamó Anton Shamas antes de que pudiera contestar a Børjg Vik la pregunta que me había formulado.

—Tengo un par de amigos, Robert y Betty, que son *adivinos*, viven exactamente enfrente del cementerio Memory Gardens, donde fuera enterrada Dorothy Johnson. Fue la bola de cristal de Betty, por cierto una *bruja* realmente encantadora, la que me puso al corriente de los hechos.

Mientras Børjg Vik abría los ojos asombrada, Anton Shamas se echó a reír:

—Eres un farsante —me dijo—. No obstante, tanto Børjg Vik como yo esperamos que durante la reunión en Kalona no nos acuses de ser los asesinos.

—¿Qué motivos tenéis para pensar que os pueda considerar culpables? —les pregunté.

En el estribo del autobús, los tres asistentes del Programa, Edwin Gentzler, Mary Nazareth y el chino Ye Xiang-dong comenzaron a tocar las palmas para agrupar a todos los viajeros y hacernos entrar en el vehículo de la universidad e iniciar el regreso. Eran las cuatro de la tarde y los pálidos rayos del sol comenzaban a difuminarse por poniente.

DIECISÉIS

LAS VISITAS DE LOS *RATONES*

CUANDO A LA MAÑANA SIGUIENTE me desperté sobre las ocho, advertí que la nieve cubría todo el entorno rural de la residencia Mayflower, alcanzando posiblemente más de un metro en el acerado y en el asfalto de Dubuque road. Aunque aún no había amanecido, los universitarios residentes, como cada día, aguardaban bajo la escalinata la llegada de los autobuses para desplazarse al campus; ninguno de los cuales había llegado aún, sin embargo, ya que las máquinas quitanieves no habían comenzado a limpiar todavía la carretera por la cual no circulaba ningún tipo de vehículo.

Después de mi aseo personal, tras hacer café y desayunar un trozo de tarta de manzana adquirido un par de días antes en la confitería de la calle Washington —única del centro que conserva antiguos edificios neoclásicos y de barrocas filigranas en sus fachadas de piedra dorada—, bajé al vestíbulo para sacar de la máquina automática un par de paquetes de cigarrillos. Desmond Hogan, el novelista irlandés y Kabita Sinha, la poetisa y bailarina clásica oriental, se hallaban sentados conversando frente al salón que abría sus ventanales a la piscina de invierno, donde, no obstante, dada la baja temperatura del agua, que no pasaba de los diez grados, sólo contados atletas y jugadores de base-ball del equipo universitario solían bañarse.

Desmond Hogan me hizo una señal con la mano para que me acercara a ellos. Tras darme los buenos días —mientras Kabita Sinha guardaba el más absoluto silencio perdida la mirada en un póster que anunciaba la celebración, cinco días más tarde, de un recital de Ella Fitzgerald en el Hancher Auditorium—, Desmond me preguntó si tendría la amabilidad de recibirle a él y a Kabita a las diez de aquella mañana en mi apartamento para mantener una entrevista a propósito de la situación psíquica que ambos soportaban estoicamente con respecto a los asesinatos de Melania y Dorothy. Les contesté que encantado, que tendría mucho gusto en recibirlos, que los esperaba exactamente a esa hora. Tras despedirme de ellos para cruzar el vestíbulo y tomar el ascensor, el matrimonio húngaro Jorge Somlyo y su joven y bella esposa Anna Szelenyi, participantes del Programa —él poeta y ella crítico teatral, que durante el fallido atentado contra Ersi se encontraban de viaje por el Mississippi, pero que la madrugada del asesinato de Melania y la tarde del de Dorothy se hallaban ambos en la residencia—, se detuvo frente a la rotonda de los ascensores. Jorge Somlyo me dijo:

—Pese a que nuestras relaciones no han sido a lo largo de tres meses nada amigables que digamos, y que no pareces sentir ninguna simpatía por tus compañeros del Este de Europa, quiero pedirte un favor: que nos recibas hay por la mañana en tu apartamento para pedirte consejo con respecto a nuestra situación frente a los asesinatos de Melania y Dorothy. Por culpa de la nieve me temo que no podamos entrevistarnos en ningún otro sitio.

—¿Antipatía por mis compañeros de los países socialistas? Siento decirte que te equivocas —le contesté—. Puedes preguntárselo a la rumana Ion Hovana e incluso a Axel Schulze. Estoy encantado de recibiros, pero tiene que ser o ahora, o después de las doce.

—Mejor que vayamos a verte a mediodía, ¿no? —dijo Anna Szelenyi tras interrogar a su marido con sus negros y profundos ojos.

Tras aceptar él la sugerencia de su esposa, estreché a ambos la mano y entré en el ascensor de los números impares para regresar a mi apartamento en el séptimo piso.

El hecho de que mi vecino japonés Gozo Yoshimasu se hubiera marchado, cinco días más tarde de iniciado el curso, a San Francisco, daba a mi estancia una intimidad de la que carecían el resto de mis compañeros del Programa, al no verme obligado a compartir ni el baño ni la cocina. Hasta la fecha ni nadie había entrado aún en él, ni por supuesto lo había invitado a hacerlo. Las dos pequeñas habitaciones, la una alcoba, y la otra sala de estar, se encontraban hechas un completo desastre: libros tirados por el suelo, botellas vacías en los anaqueles, copas y vasos sin limpiar, colillas atestando los ceniceros, ropa sucia amontonada en los rincones...

Por cortesía hacia los cuatro visitantes que recibiría aquella mañana me vi obligado a poner si no exactamente todo, casi todo en orden. A continuación conecté la radio y me dispuse a releer tendido en la cama la novela social de John Dos Pasos, *El gran dinero*, donde corren los años dorados, los felices veinte, triunfa Isadora Duncan y Rodolfo Valentino, la Unión se deja arrastrar por el aislacionismo; en el Medio Oeste los ex combatientes de la primera guerra mundial, linchan a los «wobblies» de Seattle, y el multimillonario Henry Ford, que organizara un viaje a Europa para predicar la paz y multiplicara luego paradójicamente su fortuna fabricando armas para los aliados, se había convertido en el hombre más rico y poderoso de los Estados Unidos, mientras el pobre vagabundo Charley Anderson, protagonista del libro, con los zapatos destrozados y la ropa hecha jirones suplica un puesto de trabajo a los conductores de los coches que discurren al lado de la cuneta de la carretera donde se halla apostado.

Tras los datos climatológicos —temperatura siete grados bajo cero, velocidad del viento noventa y seis kilómetros por hora; nieve caída durante la madrugada, 120 litros por metro cuadrado; predicción de continuidad de la tempestad, que ha causado ya grandes estragos en los Estados de Dakota del Norte, Minnesota y Wisconsin, y autopistas y carreteras intransitables a lo largo del paralelo cuarenta—, la locutora local dio lectura a un parte firmado por el sheriff: «La pista seguida por la policía del condado, desde el atentado que tuviera lugar contra la participante del Programa Internacional Ersi Sotiropoulou y los respectivos asesinatos de Melania Schoech y Dorothy Johnson en la residencia universitaria Mayflower han llevado —tras larga y minuciosa investigación— al descubrimiento del asesino. Esta comisaría comunica, pues, a todos los habitantes del condado que en las próximas setenta y dos horas y tras su detención y puesta a disposición judicial, se hará público el nombre del presunto culpable de los crímenes.»

Después de la lectura del parte, la radio local inició un programa musical, anunciando para las diez un boletín de nuevas noticias y, a continuación, un concurso radiofónico publicitario de la fábrica de quesos Kalona Chese (Twin County Dayry Inc.).

Unir, de alguna manera, la factoría de la colonia alemana con el parte radiofónico dado por el sheriff, me hizo soltar una carcajada. Estaba aún riéndome cuando sonó el teléfono. David Benton me hablaba desde el otro lado de la línea; se encontraba en Des Moines.

—Casualmente —me dijo—, tengo puesta una de las emisoras de Iowa City, ya que la nieve no me permite abandonar mi habitación en el motel aquel en que intenté hospedarlo en su viaje a Des Moines para entrevistarse con el senador. Aunque le resulte increíble, el sheriff ha dado por la radio a los habitantes del condado una nota asegurando que en setenta y dos horas les comunicará el nombre del presunto criminal de la residencia universitaria. Absurdo, completamente absurdo. Anoche tuve con él una conversación telefónica y me dijo que había aceptado su propuesta de reunir a todos los participantes del Programa en el salón matriz de la comunidad mennonite de Kalona, ya que las investigaciones por ellos realizadas no habían dado ningún resultado. Si hubiera asegurado en la nota que ofrecería a los radioyentes el nombre del asesino en cuatro días, su actitud me hubiera parecido correcta. Pero hablar sólo de setenta y dos horas lo he estimado un disparate. Lo llamo para ponerlo al corriente.

—Gracias. Lo sabía. Casualmente tenía puesta la radio y conectada idéntica emisora.

—¿Qué piensa hacer?

—Nada en absoluto. En última instancia sería para mí una satisfacción que antes de lo previsto el sheriff descubriera a los asesinos, algo que no creo, sin embargo. También yo tenía noticias, por vía indirecta, de que el sheriff había aceptado la reunión de los componentes del Programa en la casa matriz. Espero que la tempestad de nieve dure sólo un par de días y que para la fecha prevista podamos desplazarnos a Kalona sin dificultad.

—Aunque no hubiera tenido encendida la radio, pensaba llamarle por teléfono para comunicarle asimismo que el senador John S. Monroe le agradece la gentileza que ha tenido con el Gobierno del Estado al descubrir que detrás de los crímenes del Mayflower se encuentran, como indicó, los celos, la pasión y la locura y que en esa historia no existe nada que pueda hacernos sospechar problemas derivados del espionaje industrial, como se creyó en un principio. John S. Monroe espera impaciente que, tras la reunión de Kalona, dé usted el nombre de los presuntos culpables. Con respecto al talón que pensaba devolvernos, el senador se niega a que nos lo entregue, ya que ha sido computado y su devolución crearía un auténtico problema administrativo. También lo ha sido el próximo, que recibirá por correo certificado uno de estos días. Crea que lo siento, aunque no deja de ser para mí sorprendente su sentido del honor, que yo calificaría de orgullo y arrogancia al negarse a aceptar esa insignificante cantidad de dinero por los servicios que nos ha prestado.

Nada contesté al hombre de Omaha con respecto a la interpretación que daba a mi sentido del honor, limitándome a darle las gracias. Antes de despedirnos, David Benton me dijo que estaba seguro que en dos días el tiempo mejoraría lo suficiente como para que pudiéramos desplazarnos sin dificultad a Kalona, reunión a la que él también asistiría, dirigiéndose directamente por la mañana desde Des Moines, donde se vería obligado a permanecer, a la colonia alemana.

Cuando Desmond Hogan y Kabita Sinha pulsaron el timbre de mi apartamento, les hice entrar para que se sentaran en el sofá de la pequeña sala de estar tras preguntarles qué deseaban beber.

—Una cerveza —me dijo Desmond—. Lástima que no tengas posiblemente «Ales», que es la que prefiero.

—Yo nada, gracias —respondió Kabita Sinha.

—La tengo —le contesté, y tras dirigirme a la cocina para sacar de la nevera un par de botellas y servirle la primera en una jarra de porcelana me senté frente a ellos.

Después de un largo primer trago, Desmond Hogan se cruzó de piernas, encendió un cigarrillo y me dijo:

—Tanto Kabita como yo estamos terriblemente preocupados por la posibilidad de que se nos acuse de los crímenes. Siendo como es ella la vecina de Ersi y ser precisamente la persona que abrió al amanecer el baño donde se encontraba encerrada tras el atentado, comienza a sospecharse, según se rumorea, que pudiera haber sido ella, precisamente disfrazada, la que intentara asesinarla. Con respecto a mí, se dice también que bien puedo ser su cómplice al unirnos como nos une una gran amistad, dadas nuestras afinidades. Nuestras relaciones no pasan, sin embargo, de las de ser excelentes amigos. Nada más nos vincula. Aunque muchos puedan pensar lo contrario. Como bien sabes, yo mantengo una absoluta fidelidad a la que será mi esposa en unos meses, y ella, por descontado, a su marido.

Kabita Sinha se echó a llorar. Las lágrimas comenzaron a resbalarle por sus mejillas y, tras secárselas con un pañuelo rojo de algodón hindú, clavó en mí su penetrante mirada, esperando mi respuesta a las palabras de Desmond.

—Sé que vuestra amistad es, en efecto, simplemente fraterna. No obstante, no estoy en posesión de la estrella de sheriff para juzgar ninguno de vuestros actos.

—¿Nos crees entonces culpables? —me preguntó Desmond.

—Mientras no se descubra al asesino, todos continuamos siendo sospechosos, incluyéndome, por supuesto.

—Me sorprendes. Sabemos que, de alguna manera, eres colaborador no sólo del sheriff, sino del FBI y que, al parecer, posees los suficientes datos para suponer quiénes o quién asesinó a Melania, a Dorothy y atentó contra la vida de Ersi.

—Creedme que lo siento —les respondí—. Por el momento no puedo deciros nada, pues no estoy seguro aún de que la pista que sigo sea la verdadera —les mentí.

Desmond Hogan se levantó de un salto, obligando a Kabita a hacerlo también. Me miró con odio, ironía y desprecio, desde sus azules ojos de porcelana y, cogiendo a la bailarina y poetisa hindú de la mano, cruzaron la pequeña sala de estar y el reducido vestíbulo, abrieron la puerta y abandonaron el apartamento sin siquiera despedirse.

Eran las once de la mañana y de nuevo comenzó a nevar: ningún universitario residente esperaba ya la llegada de los autobuses en la escalinata del edificio. Dubuque road permanecía aún intransitable. En el momento en que cerré la ventana de guillotina que había abierto unos instantes, dejándome helado el cuarto de estar, oí llegar por el sur los motores de los quitanieves que lentamente se aproximaban al Mayflower.

* * *

Como Jorge Somlyo y Anna Szelenyi no acudirían a la cita que habíamos concertado en mi apartamento hasta las doce, decidí bajar al vestíbulo y darme una vuelta por la cafetería donde posiblemente tendría ocasión de conectar las antenas de mi irrefrenable erotismo con cualquiera de las universitarias que por culpa de la tempestad de nieve no habían podido acudir aquel día a clase.

El prestigio de la universidad de Iowa es indiscutible; dieciséis facultades, desde la tecnología más avanzada —especialmente la de Medicina— hasta el humanismo, pasando por la ingeniería, las leyes, la investigación agrícola, la arqueología, la arquitectura..., configuran todo un mundo donde veinte mil jóvenes llegados no sólo de todo el Medio Oeste, sino de los más alejados Estados de la Unión, estudian, practican el deporte y hacen el amor. El porcentaje femenino alcanza casi un treinta por ciento de las matrículas en las facultades técnicas y un setenta en las de letras —filología, filosofía, historia y humanismo—, cantidad más que suficiente para lograr en cualquier momento contactos que terminen victoriosamente o en la cama o en el asiento trasero de un automóvil, de poseerse.

El salón se encontraba completamente abarrotado, no hallándose ni una sola mesa disponible, por lo que me vi obligado a regresar al vestíbulo y sentarme en uno de los sofás situados frente a la encristalada galería que circunda la piscina de invierno. Al cabo de un par de minutos, la argentina Regina Zoffe y el uruguayo Narciso Arteleche, pese a que con ninguno de los dos me unía la menor amistad, vinieron a saludarme y se sentaron a mi lado, tras estrecharme la mano, para conversar en español.

—¡Qué mañanita, che! No soporto ni la nieve ni el frío. ¡Cuánto echo de menos mi Buenos Aires querido!

—Si eso sucede a vos, no digamos a mí —exclamó Narciso Arteleche—. Vos soñás con Buenos Aires, donde por estos días frío no hace, pero el calor resulta insoportable. Yo, en cambio, estaría ahora en Punta del Este bañándome en Playa Mansa, de sentir repeluznos, y en la Brava de tener calor. ¡Qué maravilla! Por las tardes marcharía a Punta Ballena y por las noches a Piriapolis, a ruletear.

—Vos sos terrible, Narciso —le respondió Regina Zoffe—. ¿Cómo podés comparar, aunque los argentinos las frecuentemos tanto en efecto, esas lindas playas con nuestra Pampa? Yo en verano prefiero desplazarme a la hacienda que poseen mis abuelos en Santa Rosa, me fascina el gauchaje, el cabalgar a lomos de una yegua colina e incluso despellejar una ternerita Hereford para cortarle luego un filetón y asarme un churrasco.

—No es oro todo lo que reluce —exclamó Narciso Arteleche.

Tras sus últimas palabras, Regina Zoffe había cambiado sus gestos e incluso su actitud, no respondiendo a la exclamación del uruguayo, que intentó expresar la diferencia entre los dos países, pese a que en el fondo la República Oriental no es otra cosa que una provincia argentina, separada por las caudalosas fronteras del Río de la Plata y transformada en nación independiente gracias a Inglaterra, que intentó convertir al pequeño país —consiguiéndolo a lo largo de cien años— en un enclave *colonial* británico situado entre Brasil y Argentina.

—¿Qué pensás de la reunión que vamos a tener en el salón matriz de Kalona dentro de cuatro días?

—Nada —le contesté.

—Al parecer, se trata de una trampa en la que piensan terminará cayendo el asesino de las féminas.

—Callate vos y no me sea pendejo —le respondió Regina—. ¿Cómo podrían acusar allí a nadie de asesino cuando bien sabemos que fue un indio sioux?

—Por las trazas, se trataba de un cherokee —le puntualicé con una sonrisa frente a la cual Regina Zoffe bajó los ojos, levantándose a continuación e invitando al uruguayo a que la acompañara a la cafetería para tomar un té.

* * *

A las doce menos cuarto —mientras esperaba la llegada del matrimonio húngaro— me encontraba de nuevo en mi apartamento, tendido en la cama para continuar leyendo *El gran dinero*, de John Dos Pasos, donde al finalizar la novela e, inesperadamente, llega la más increíble de las catástrofes: el *crack* de 1929, que estremece no sólo a la nación, sino al mundo entero. Gente que no era nadie y sólo en unos días se convirtieron en millonarios —desde la corrupción, el soborno, el caciquismo, la intriga, los golpes dados furtivamente a las clases más humildes— se suicidan al hallarse de nuevo en la miseria; el pánico se apodera de la bolsa; en Detroit los trabajadores de las fábricas de automóviles organizan una huelga general; a lo largo y a lo ancho del país las omnipotentes empresas se declaran en quiebra, los peones agrícolas de Iowa emigran a California, y la Izquierda exige la inmediata solución del problema social que sacude al país. Los obreros que sólo una semana atrás se dirigían a su trabajo en automóviles propios y abonaban a plazos las casas que dos años atrás acababan de adquirir, ya sin empleo, con las botas destrozadas y las ropas mugrientas, comenzaron a mendigar el pan de cada día.

Cuando sonó el timbre de llamada, me levanté para abrir la puerta a Jorge y Anna y les hice pasar para que se sentaran en el mismo lugar que ocuparan dos horas antes Desmond y Kabita. La belleza y juventud de Anna, que aún no había alcanzado los treinta años, al lado de la prematura vejez de su marido, al borde de los cincuenta, me conmovió de nuevo profundamente. No obstante, sabía que no tenía la menor posibilidad de conquistarla, ya que estaba, cosa fácil de advertir, completamente enamorada de Jorge, con el que había contraído matrimonio hacía sólo seis meses, tras haberse divorciado él de su primera esposa en Budapest.

—Al parecer —dijo Jorge—, el hecho de que durante el atentado que sufriera Ersi Sotiropoulou más de la mitad de los componentes del Programa nos encontráramos en la primera excursión realizada al Mississippi para visitar Ford Madison, no nos ha salvado de ser considerados como sospechosos de los asesinatos de Melania y Dorothy.

—Tampoco yo me encontraba aquella noche en Iowa City. Me había desplazado a Grinnell y pasé allí la noche en la residencia del College. Sin embargo, fui también interrogado, cosa que no os sucedió, sin embargo, a vosotros en aquella ocasión.

—En efecto —contestó Jorge—, pero la noche del asesinato de Melania fuimos obligados a abandonar nuestro apartamento para ser interrogados en el vestíbulo, a pesar de que no se encuentra en este séptimo piso.

—La policía de los países del Este, concretamente la húngara, es mucho más correcta en el tratamiento de los ciudadanos que la estadounidense, a pesar de que aseguráis, cosa en la que no estoy de acuerdo, que este país es democrático y el nuestro dictatorial. Yo pienso, por el contrario, que toda América, desde Alaska a la Tierra del Fuego, es pura dictadura —exclamó Anna.

—Perdonad que os diga que me niego a hablar de política —les contesté—. Imaginaba que en nuestra entrevista nos limitaríamos, como dijisteis, a planificar las pautas de comportamiento que debéis seguir, tras ese rumor que me habéis asegurado corre con respecto a los dos.

—Tu actitud —dijo Jorge— demuestra muy a las claras que en el fondo te encuentras también confabulado contra nosotros, Axel e Ion Hovana; a pesar de ser polaca, descarto, naturalmente, a Joanna Salomon por vivir en Suiza y estar de acuerdo con Lech Valessa y el sindicato Solidaridad.

—Frente a tu actitud, descarto toda posibilidad de ofreceros aquel consejo del que me hablasteis os diera en el vestíbulo. Doy, pues, por terminada esta entrevista en lo que se refiere tanto a los crímenes como a la política. No obstante, podíamos tomar juntos una copa si lo deseáis y continuar nuestra conversación por los caminos de la Literatura y del Arte; concretamente me encantaría que habláramos de Budapest, ciudad que he visitado en un par de ocasiones y que estimo una de las más bellas de Europa.

—Gracias; pero tenemos que marcharnos; ya tendremos ocasión de hablar no sólo de Budapest en particular, sino de Hungría en general, caso de que no seamos detenidos en Kalona, cuando asistamos a la reunión, y acusados del asesinato no sólo de Melania y de Dorothy, sino incluso del atentado contra Ersi, aunque aquella noche nos encontráramos en Ford Madison.

Pese a la tensión de los últimos momentos, Jorge y

Anna —al contrario que Desmond y Kabita— se despidieron de mí correctamente y abandonaron el apartamento tras estrecharme la mano. Ya en la puerta, Jorge Somlyo dijo:

—De cualquiera de vosotros, súbditos de los países que llamáis democráticos, se puede esperar todo. Vuestra alienación cultural os transforma luciferinamente en cobayas.

DIECISIETE

LA OTRA CARA DE LA MONEDA

A PESAR DEL PARTE METEOROLÓGICO que escuché la víspera, donde se aseguraba que la tempestad de nieve duraría noventa y seis horas, el primer sábado de diciembre amaneció radiante. Cuando me levanté, ni una sola nube ocultaba el cielo azul turquesa de la Gran Pradera, y la nieve, colgante aún de los abetos, que cubría los tejados de zinc, los cultivos de avena, trigo, centeno y los parterres de parques y jardines, había sido agrupada al borde de Dubuque road por las máquinas que hicieran en menos de veinticuatro horas transitable la ciudad, su entorno y la principal de sus autopistas, la número ochenta, que atraviesa horizontalmente el Estado desde Davenport en el Este a Loveland en el Oeste.

El sol, aunque tibio, me llenó de optimismo. Tras prepararme el desayuno, decidí asistir aquel día al partido de fútbol americano que se celebraba entre el Hawkeyes y el Minnesota. Mientras ponía en marcha mi automóvil, cuya batería había sufrido los efectos de las bajas temperaturas, Ersi Sotiropoulou se me acercó para rogarme, si era tan amable, de llevarla al centro de la ciudad, donde iba a tomar el autobús que la llevaría al estadio municipal.

—No te verás obligada a abandonar el coche —le contesté—. Yo también voy a asistir al partido de fútbol. En un raro día de sol como el de hoy es imprescindible canalizar nuestra agresividad, y no encuentro mejor manera de hacerlo que contemplando cómo se *matan* los jóvenes jugadores del Hawkeyes y del Minnesota.

—Si es sólo por eso, para canalizar tu agresividad, lo comprendo. Mi actitud es idéntica a la tuya, ya que no creo que ni tú ni yo, siendo europeos, sintamos la menor afición por el fútbol americano.

Por fin, logré poner el automóvil en marcha. Ersi se sentó a mi lado y me dijo:

—Te ruego que al cruzar el centro nos detengamos un momento para entrar en Mickey, el único lugar posiblemente abierto, para tomar café. Aún no he desayunado, ya que ayer como no pudimos salir me fue imposible adquirirlo y la cafetería del Mayflower, algo habitual los sábados, se encuentra cerrada.

—¿Cómo no se te ha ocurrido llamar a mi apartamento para que lo tomáramos juntos?

—Prefiero no molestar a nadie, y menos a ti. Por otro lado, tu fama de conquistador...

—No he mantenido la menor relación ni con residentes ni con participantes del Programa. Es Gyorgy Skourtis, tu compatriota, el verdadero don Juan del curso.

Al llegar al centro de la ciudad detuve el coche en la esquina de la calle Clinton tras comprobar que, en efecto, el bar Mickey se encontraba abierto, así como también el establecimiento contiguo dedicado a la venta de los más exóticos tabacos y donde una fotografía de

John Wayne, de tamaño natural —revólveres al cinto, sombrero stetson, camisa rayada y chaleco de piel, ajustado pantalón de pana y botas vaqueras con espuelas—, decora el testero de entrada.

Tras adquirir en la tienda una caja de cigarrillos negros de Tampa, entramos en el bar Mickey para sentarnos en el único velador situado ante el ventanal. Ersi solicitó de la camarera un café y yo un whisky bourbon doble.

—¿Cómo se te ocurre beber alcohol tan temprano? —me preguntó Ersi.

—Son ya las diez y media —le contesté—. Y, como bien sabes, mi fama no es la de conquistador, sino la de borracho.

Un joven de casi dos metros de altura entró en el bar y, tras solicitar un vaso de leche en la barra, dijo en voz alta al encargado que el partido de fútbol entre el Hawkeyes y el Minnesota había sido suspendido. Tanto el aeropuerto de Cedar Rapids como el aeródromo municipal continuaban aún cerrados por culpa de la escarcha que impedía las salidas y los aterrizajes, aunque la nieve hubiera sido ya barrida por las máquinas. Por otro lado, el avión en el que viajaría el equipo de Minnesota no había podido despegar del Blain Field, el aeropuerto de Minneapolis.

—¡Total, que nos veremos obligados a regresar a casa! —exclamó Ersi.

—Yo, por supuesto, no pienso hacerlo. En vista de las circunstancias iré a almorzar a Coralville y luego marcharé a Liberty City. Con toda seguridad tendré allí ocasión de asistir a un partido de fútbol europeo.

—¿Fútbol europeo? —preguntó Ersi.

—Liberty City —le contesté— es una colonia chicana situada al sur de la autopista ochenta, y todos los sábados, según me contó su capellán, un compatriota, organizan un partido entre los dos cursos superiores del colegio estatal. El problema radica en que haya desaparecido ya del campo de fútbol la nieve. Estoy seguro, no obstante, que el capellán español habrá logrado que le faciliten una máquina quitanieves.

—¿Te importaría llevarme contigo?

—En absoluto. Es más, estoy encantado de que seas tú la que me lo hayas propuesto, pues pensaba invitarte a hacerlo y ponía en duda que aceptaras mi ofrecimiento, ya que, al parecer, no sientes por mí la menor simpatía.

—¿Quién te lo ha dicho?

—Nadie. A lo largo de tres meses has intentado siempre eludir mi compañía y aceptar mi amistad. Por mi parte, desde que iniciamos el curso, he intentado establecer contigo contactos a los que siempre te has negado. Me llamaste poderosamente la atención el día de la inauguración del Programa, cuando apareciste en el Jefferson Building vestida de *mariposa*: minifalda roja, medias celestes, zapatos blancos y blusa estampada de crisantemos y gladiolos.

—¡Qué memoria! Eres increíble.

—Más me conmoviste aún la noche en que en el Hancher Auditorium fuimos a ver a la compañía musical del Broadway.

—Magnífica comedia aquélla: *Línea de coro*.

—Entonces, en vez de mariposa te vestiste de libélula: clámide griega de seda blanca, cupido de raso... Me recordaste una noche que pasé hace años en Trinidad, en Cuba, donde la antigua burguesía, ya deshecha, continuaba frecuentando aún el teatro en principescos trajes de noche, y también, aunque te pueda parecer paradójico, una recepción a la que fui el pasado año en el

Ayuntamiento de Torum, la ciudad de Nicolás Copérnico, en Polonia, en la que el alcalde había invitado a la antigua aristocracia, que asistió a la recepción vestida con chaquetas de terciopelo rojas, camisolas de chorrera y grandes corbatas de seda, los varones, y trajes estilo Imperio las damas, peinadas además como María Waleska y Josefina.

Ersi Sotiropoulou quedó asombrada con mis palabras. En sólo unos minutos había logrado ganar el corazón de la joven antropóloga, licenciada en Florencia, pese a su nacionalidad griega. Estaba convencido —como realmente sucedió— de que a partir de aquel momento podría abordar el tema de su atentado en el Mayflower, algo de lo que ella, tras la declaración que hiciera al sheriff y más tarde al hombre de Omaha, se negó a seguir hablando con nadie.

Tras beberse ella otra taza de café y yo otro whisky doble, abandonamos el bar Mickey y regresamos al coche para salir de Iowa City, tomar la autopista y almorzar en Coralville.

El cielo, color azul turquesa, continuaba limpio de nubes. Un helicóptero de la policía sobrevolaba los pequeños enclaves urbanos del entorno ciudadano para facilitar, seguramente, al parque municipal de bomberos los lugares donde debían dirigirse las máquinas quitanieves para abrir el tráfico en todas las carreteras secundarias. Aunque la temperatura no había subido de cero grados, la ausencia de viento hacía que, climatológicamente, el tiempo resultara mucho más agradable que al iniciarse, en la segunda quincena de septiembre, el otoño indio en la Gran Pradera. El calor era por aquellos días asfixiante, obligando la densa humedad —como si se tratara del trópico— a enjugarse mejillas, frente y manos con pañuelos de tela o de papel.

—¿En qué restaurante prefieres que almorcemos? —pregunté a Ersi.

—En cualquiera, siempre que nos puedan servir pescado, aunque sea, naturalmente, congelado.

* * *

Tras decidirnos a almorzar en el Belff Outdors de Coralville, en cuya carta no existían otras especialidades que las carnes, de ternera, cordero y buey —ya que sabíamos que encontrar un lugar donde pudieran servirnos pescado fresco en el Medio Oeste resultaba imposible—, nos sentamos a tomar café en la encristalada galería de la larga veranda que circunda el restaurante, esperando que dieran las dos para dirigirnos a Liberty City por la carretera comarcal abierta ya al tráfico y que nos ahorraría media docena de millas de camino.

—El único Estado donde se puede degustar el mejor pescado de América es el de Luisiana. En Nueva Orleans, por ejemplo, con independencia de excelentes ostras y todo tipo de marisco, saben preparar los salmonetes tan bien como en el Mediterráneo. El hecho de haber sido una colonia francesa y española creó una tradición gastronómica que afortunadamente continúa.

—Tu fantasía no se limita hoy sólo por lo visto a cantar mi vestuario. Perdona que te diga que el único sitio del mundo donde sabemos preparar los salmonetes es en el puerto del Pireo. Con independencia de haber almorzado rosbit, excelente por cierto, hace casi dos meses que no probaba la carne.

—A lo mejor, sospechando que te la servían siempre de búfalo, animal que asociarías de alguna manera a los sioux o cherokees, decidiste renunciar a ella.

—Prefiero no tocar el tema.

—No obstante, en un momento como éste podías hacer una excepción. Por supuesto, la persona que atentó contra ti aquella madrugada no era india, aunque según tú estuviera disfrazada de cherokee. Si fueras capaz de contestarme a las preguntas que voy a hacerte, con anterioridad te haría a cambio una importante confidencia.

Ersi me miró con sus profundos y negros ojos turcos y a punto estuvo de levantarse de la mesa tras mis palabras. La calmé diciéndole que no se preocupara, que admitía perfectamente eludir el tema y cambiar de conversación, pese a lo cual quería ponerla al corriente de la prometida conferencia sin necesidad de las respuestas que no estaba dispuesta a darme. La manta en la que se envolvía el fantasma del Mayflower no era ni cherokee ni sioux, sino un edredón *alemán* —le dije.

—¿Y tú cómo lo sabes? —me preguntó llena de asombro y curiosidad—. Es inconcebible que intentes continuar lavándome el cerebro con tus fantásticas conclusiones.

—Aseguraste al sheriff y, más tarde, a David Benton, el agente del FBI, que la manta estaba formada por cuadros romboidales, algo que no se corresponde ni con la cultura sioux ni con la cherokee. Al visitar Kalona, lugar que ya conoces, donde una semana más tarde del atentado que sufriste fui para comprarme un traje térmico, descubrí que todos los edredones de artesanía que venden en el bazar están formados por rombos de colores, que, unidos, forman estrellas de cuatro puntas, aunque sea difícil advertirlo en una rápida visión, por lo que sólo los rombos quedan inevitablemente memorizados.

Ersi, fija la mirada en el pequeño búcaro con flores

que decoraba el centro del velador donde nos encontrábamos tomando café, me respondió:

—Es posible que tengas razón, perdona. Creo recordar que, en efecto, los rombos verdes, rojos, azules y rosas podían formar estrellas de cuatro puntas. ¿Le comunicaste tu descubrimiento al sheriff?

—Inmediatamente y, por supuesto, también al FBI.

—Al parecer, entonces ésa es la razón por la cual, de alguna forma, se dice que te encuentras colaborando con ambos en el descubrimiento del asesino de Melania y de Dorothy y, por supuesto, en el fallido intento de enviarme también al otro mundo. Pregúntame lo que deseabas saber. Estoy dispuesta a contestarte.

Una vez logrado alcanzar un verdadero clima de confianza, decidí dejar las preguntas para más tarde. Quizá el momento justo de hacerlo sería exactamente cuando nos encontráramos apoyados en la cerca de madera que rodea el campo de fútbol europeo de Liberty City, ya que tras comprobar que habían dado las dos, decidí que abandonáramos la veranda de la cafetería del restaurante, subir de nuevo al coche y enfilar al oeste de Coralville primero la corta autopista del Sur y más tarde la carretera comarcal.

* * *

Cuando llegamos a Liberty City me sorprendió encontrar el pequeño campo de fútbol cubierto de nieve. No existía, pues, la menor posibilidad de que se fuese a celebrar en él ningún partido por lo que decidimos no salir del coche que había detenido y, tras dar la vuelta al final de la calle Mayor, regresar a Iowa City. Justo en el momento en que volví a poner el viejo Oldsmobile en marcha descubrí, caminando por la explanada que bordea el *ghetto* chicano, las manos en los bolsillos y tocado con un gorro de falso astracán, al capellán de los emigrantes. Dije a Ersi que quería saludar a mi compatriota, aceptando ella mi propuesta a regañadientes. Volví a detener el coche, dejé a Ersi en él y fui al encuentro del capellán, que me recibió con un abrazo.

—Es para mí una auténtica sorpresa encontrarle de nuevo por aquí —me dijo—. ¿Venía a verme?

—Por descontado, aunque la verdadera razón era la de asistir al partido de fútbol que me aseguró se celebraba a las tres todos los sábados que el tiempo lo permitía. En vista de que han suspendido el encuentro entre el Hawkeyes y el Minnesota, ya que el equipo visitante no ha podido llegar por culpa de la tempestad de nieve, decidí venir con una compañera del Programa que prefiere como yo el fútbol europeo al americano.

—Como ha podido ver ya seguramente, con el campo cubierto de nieve era imposible que se celebrara el partido. Llame a su compañera y vengan a casa, los invito a tomar lo que deseen.

Me dirigí al coche, aparcado a una veintena de metros, y le pregunté a Ersi si aceptaba la invitación del capellán.

—Lo siento —me contestó—. Tengo un terrible dolor de cabeza. Volvamos al Mayflower. Deseo echarme a dormir un rato.

Tras disculparme y despedirme del párroco regresé al auto y, después de cruzar la desierta calle Mayor, tomé de nuevo la carretera comarcal para regresar a la residencia universitaria.

—Hace sólo una hora —me dijo Ersi— hubiera estado dispuesta a contestar cualquier pregunta que me hubieras hecho sobre aquella para mí aún terrible madrugada; pero perdiste la oportunidad. Vuelvo a negarme a hablar del asunto y ahora soy yo la que te voy a preguntar a ti si estás seguro de que el martes todos los componentes del Programa seremos obligados a reunirnos en el salón de la granja matriz de Kalona.

—Ni estoy seguro ni tengo por qué estarlo.

—Por lo visto mi actitud ha roto la confianza que, al parecer, en mí habías depositado.

—En absoluto. En efecto, esa reunión está prevista, pero no puedo asegurarte que sea llevada a cabo aunque mi deseo, al haber sido precisamente el que la sugiriera, es que tenga lugar.

Ersi Sotiropoulou entornó los ojos y se mantuvo en silencio por espacio de un cuarto de hora, el tiempo que tardamos en alcanzar de nuevo la autopista. Tras abrirlos de nuevo, me dijo que estaba segura de que yo sabía quién había atentado contra su vida y asesinado a Melania y Dorothy. A continuación me preguntó cómo era posible que lo hubiera descubierto.

—Muy sencillo —le respondí—. Una tarde fui con Baharauddin Zainal a la llamada sauna, el prostíbulo de la calle Dubuque, y allí en los anaqueles del vestíbulo al lado de los más sutiles y sofisticados instrumentos eróticos, corseletes de piel de foca y aluminio, plumeros de pavo real, látigos de siete colas, botas piratas y cinturones de castidad, descubrí entre otros animalitos también en erección, unos pequeños gatos de porcelana cuyas orejas coincidían exactamente con una de las encontradas junto al cadáver de Melania. Pregunté al conserje si recordaba quién había adquirido en las últimas semanas uno de aquellos ejemplares, concretamente un gato. «Un extranjero», me contestó. «¿Y de qué nacionalidad cree usted que era?», volví a preguntarle. Y, milagrosamente, me dio la respuesta.

DIECIOCHO

DUELO EN KALONA

LA COLONIA ALEMANA DE KALONA cuenta con cuatro iglesias; la Mennonite, la Metodista, la Baptista y la Evangelista, ideales cualesquiera de ellas, dada su amplitud, para celebrar la reunión —autorizada por el fiscal general del condado— a la que asistieron todos los componentes del Programa, sus directores, ayudantes, el sheriff, David Benton y, *clandestinamente,* Joshe Szerties y Robert y Betty Dominguez. Sin embargo, el sitio elegido fue finalmente el antiguo salón decimonónico de la granja matriz, pese a su reducido espacio, en cuanto había sido el que en principio eligiera olvidando las iglesias, quizá porque a lo largo de la segunda mitad del siglo XIX era en ella donde se celebraban los juicios.

Media docena de tartanas cubiertas con capotas de hule, empenachadas con relucientes farolas de cobre y cristal biselado y tiradas por caballos negros, se encontraban estacionadas ante la rotonda presidida por una gran cruz de madera blanca y un molino hidráulico con aspas de aluminio y cola de veleta que giraba sobre una torre formada por crucetas de hierro pintadas de minio.

Antes de que salieran del Mayflower en el autobús universitario los componentes del curso, me encontraba ya en Kalona para visitar el bazar de los productos de artesanía tras haberme dirigido media hora antes al burdel de la calle Dubuque donde compré un gato de porcelana.

Por dos dólares y cincuenta centavos adquirí en el bazar el catálogo turístico impreso en papel cuché titulado *La herencia*, donde en una de sus páginas se encontraban fotografiadas a todo color las señoras de Thomas Miller y Clarence Bender, que en el museo Mennonite, daban las últimas puntadas a un edredón de cama alemán, dedicando el resto de las hojas a una rueca, al viejo *drugstore*, a las antiguas centrales telefónicas y telegráficas, al mercado de las flores, a los pequeños cementerios, a los diversos cultivos, a las subastas de caballos, a la factoría de queso, a las escuelas, al hospital geriátrico, a la indumentaria femenina aún utilizada de largos trajes negros, cofias blancas, tocas, botas de cordones y capas con flecos y, muy especialmente, a las tartanas cruzando carreteras, veredas y caminos, símbolo y logotipo de toda la comunidad junto a una blanca paloma de la paz, una cruz daliniana y un par de manos estrechándose en señal de fraterna amistad.

* * *

Una gran mesa de nogal presidía el salón, tras la que se encontraban Paul Engle, su esposa Hualing Nieh, los asistentes Edwin Gentzler y Ye Xiang-dong y las secretarias Victoria Digman y Jeanette Miller. Frente a ellos, en primera fila, sentados sobre la moqueta verde esmeralda, se hallaban Mohamed Hani Kamal, Desmond Hogan, Joanna Salomon, Axel Schulze y el novelista de color Sipho Sepamla. Anna Szelenyi, Henk Van Kerskvik, Børjg Vik y el poeta japonés Gozo Yoshimasu, que había regresado la víspera de San Francisco, ocupaban sentados también en el suelo la segunda fila, mientras el resto de los participantes lo hacían en las sillas de caña de bambú que rodeaban el salón. En el ángulo izquierdo junto a la chimenea de gasoil se hallaban el sheriff y el hombre de Omaha, y en el derecho, Joshe Szerties y Robert Dominguez y Betty, junto a los cuales ocupé la única silla libre.

Paul Engle, con sus característicos ademanes de poeta —gran recitador de sus propios versos—, se puso en pie para explicar que la reunión no rompía en manera alguna los requisitos legales ni de la Constitución ni los del Estado y que el fiscal general la había autorizado con el fin de que se aclararan una serie de circunstancias que harían posible la declaración de inocencia de todos los componentes del Programa Internacional, para que una semana más tarde, tras abrirse el período de vacaciones navideñas, pudieran abandonar, los que quisieran, los Estados Unidos. «Estoy convencido —prosiguió— que ninguno de vosotros puede ser culpado del atentado contra Ersi Sotiropoulou y los asesinatos de Melania Schoech y Dorothy Johson. Según acaba de comunicarme el sheriff del condado y mister David Benton, el agente federal que ha intervenido en el caso por estimarse que existían implicaciones federales, los presuntos asesinos, pues dos son al parecer, según me han explicado y cuyos nombres ya se conocen, están a punto de ser detenidos. Ruego, pues, a todo el curso que dispense las tensiones emocionales a que se han visto sometidos a lo largo de un par de meses en declaraciones, interrogatorios y prohibiciones de abandonar la ciudad. Aunque por este Programa han pasado, desde que fue fundado hace dieciocho años, ilustres poetas, novelistas, ensayistas, guionistas cinematográficos y antropólogos de todo el mundo, jamás en mi recuerdo olvidaré a ninguno de los participantes de este último curso, dadas las depresiones que han podido sufrir ante los asesinatos de Melania y Dorothy y del atentado sufrido por Ersi Sotiropoulou.»

Tras sentarse, el sheriff del condado se levantó y, mientras jugueteaba con su copudo sombrero negro de fieltro de alas casi rectas, dijo:

—No obstante las palabras de Paul Engle, con las que estoy completamente de acuerdo, uno de vuestros compañeros, Alberto Gentile, me ha pedido algo que nos hemos visto obligados a aceptar tanto yo como mister David Benton, el agente federal llegado de Iowa City para colaborar con mis hombres en la investigación, dada la posibilidad que existía al parecer de que las causas del atentado y del primer asesinato tuvieran ciertas secretas vinculaciones con el espionaje industrial, al que, por desgracia, todos los Estados del Este del país se encuentran sometidos para adueñarse de nuestra tecnología; espionaje industrial que, por fortuna, no se ha producido, sin embargo. Os decía, y repito, que vuestro compañero Alberto Gentile ha solicitado dirigiros la palabra en esta reunión, en cuanto, por lo visto, no está de acuerdo con nuestras conclusiones llevadas a cabo tras la investigación de los asesinatos. Se la cedo, pues, con el permiso del director del Programa.

En el momento exacto en que iba a levantarme, el hombre de Omaha me hizo una señal con la mano para que continuara sentado; luego se puso de pie para explicar que era preferible que fuera él quien me preguntara sobre mis disidentes ideas, ya que al considerarme un testigo como tal estaba obligado a ser interrogado.

Por los ventanales dejó de entrar la luz solar del mediodía. De nuevo las nubes comenzaron a cubrir el cielo de la Gran Pradera. Llegaban hasta el salón el relinchar de los caballos, el mugido de las vacas y el chirriar de una aserradora mecánica, situada a un centenar de metros, el clamor de los niños que acababan de abandonar la escuela para dirigirse a almorzar a sus casas y el grito trémulo de las últimas aves migratorias que cruzaban el cielo.

David Benton me preguntó si era cristiano y en tal caso que jurara sobre la Biblia, que me hizo pasar desde el otro extremo del salón, decir la verdad, sólo la verdad y nada más que la verdad.

Pese a mi agnosticismo, estimándome culturalmente cristiano, hice en efecto el juramento poniendo la mano derecha sobre una vieja Biblia encuadernada en piel con los cantos dorados que posiblemente el hombre de Omaha había solicitado prestada en el museo Mennonite. Tras hacerlo levanté la mano, como era preceptivo, y David Benton inició su interrogatorio. El silencio en la sala era absoluto y total.

—¿Tiene la bondad de explicarnos por qué decidió iniciar por su cuenta la investigación del atentado contra Ersi Sotiropoulou y los asesinatos de Melania Schoech y Dorothy Johson?

—Todo comenzó para mí de una manera casual e inesperada —le contesté—. Habiendo sido advertido a mediados de octubre de que en un par de semanas la temperatura descendería veinte grados, decidí venir a Kalona para adquirir en el bazar ropa interior térmica artesanal, ya que sólo aquí y en la otra *colonia* germánica, la de Amana, podía encontrarla.

—¿Y qué tiene que ver la ropa térmica con los crímenes, mister Gentile?

Un clamor de risas invadió toda la sala, alcanzando niveles casi histéricos el rostro chino de Hualing Nieh, tan proclive a ella.

—Nada en absoluto, por supuesto —respondí—. Sin embargo, mientras me hacían un paquete en el mostrador con el par de camisetas y calzoncillos largos de una sola pieza que había comprado...

Las carcajadas volvieron a inundar el salón.

—... advertí asombrado que una manta idéntica a la descrita por Ersi Sotiropoulou, como perteneciente según ella a un indio sioux o cherokee, colgaba del testero de uno de los anaqueles. Se trata —proseguí tras sacar del bolsillo el catálogo recién adquirido en el bazar— exactamente de ésta.

—¿Tiene la bondad de entregar el catálogo a Ersi Sotiropoulou para que compruebe la veracidad de sus palabras? —me rogó David Benton.

Ersi se levantó de la silla de bambú, cruzó el salón, se puso las gafas y dedicó durante unos instantes su atención a la fotografía donde las señoras de Thomas Miller y Clarence Bender daban las últimas puntadas al edredón de cama alemán formado por rombos de colores que unidos se convertían en estrellas de cuatro puntas.

—Efectivamente —exclamó—, idéntica a ésta era la manta en la que se envolvía el personaje que intentó asesinarme aquella madrugada con un cuchillo y del que milagrosamente me libré encerrándome en el cuarto de baño.

—Gracias, puede usted sentarse —le dijo David Benton para, a continuación, cederme de nuevo la palabra.

—¿No le parece motivo suficiente, mister Benton —dije al agente del FBI—, para que tras este descubrimiento iniciara por mi cuenta una investigación al margen de la que se encontraba efectuando la policía del condado? Tenga en cuenta además que éste es un dato que ya le comuniqué.

—Desde mi personal punto de vista —me contestó—, estoy con usted completamente de acuerdo, aunque eso no significa que pueda aceptarlo oficialmente —mintió a los reunidos—. Y ahora dígame, ¿le bastó ese dato para proseguir sus pesquisas?

—En absoluto. No hubiera bastado. A cambio de haberle descubierto la verdadera identidad de la manta usted me comunicó que, junto al cadáver de Melania Schoech, encontraron la oreja izquierda de un pequeño gato de porcelana tras haber hallado con anterioridad la derecha ante el apartamento de Ersi después de su fallido intento de asesinato. ¿Puedo proseguir?

—Prosiga.

—Una tarde, mi compañero de curso Baharauddin Zainal me pidió que lo acompañara al burdel de la avenida Dubuque. Aunque en un principio me negué, terminé por aceptar, y mientras él hacía el amor le esperé en el vestíbulo donde descubrí, en uno de los anaqueles atiborrado de artilugios eróticos, una serie de pequeños animalitos de porcelana en erección entre los que se encontraban felinos como éste —dije sacando el gato que había adquirido por la mañana en el burdel y levantando la mano para mostrárselo a todos los reunidos.

Al silencio total siguieron rumores y exclamaciones de los reunidos, la mayoría de los cuales se levantaron y comenzaron a gritar.

—¡Silencio! —gritó Paul Engle—. Tengan todos la bondad de callar.

El sheriff cruzó la estancia y, tras solicitar le entregara el gato y observarlo detenidamente, exclamó:

—En efecto. Sus orejas son idénticas a las encontradas junto al cadáver de Melania y en la puerta del apartamento de Ersi.

De nuevo las exclamaciones y los murmullos inundaron el salón. Ahora fue el sheriff el que pidió silencio.

El hombre de Omaha me miró fijamente con sus ojos azul prusia. Luego me preguntó, con una sonrisa de broma, si el hecho de encontrarme en posesión de aquel gato no podía significar que fuera yo el asesino.

—Por favor —le contesté—, tenga la bondad de telefonear al burdel y preguntar al conserje cuándo lo adquirí la porcelana. Le contestará que hace apenas dos horas. Luego interróguele sobre la nacionalidad de la persona que adquiriera, hace ya tres meses, la primera pieza.

—No creo que sea ahora preciso; más tarde realizaré la verificación —me contestó el agente del FBI—; confío en usted. Díganos la nacionalidad del primer adquiriente.

—Aún es pronto, mister Benton. De momento, sólo puedo decirle que es un participante del curso y que lo compró para obsequiar a una amiga perteneciente asimismo al Programa Internacional.

Mis palabras causaron al parecer tanta expectación en los asistentes que las anteriores exclamaciones, gritos y murmullos fueron sustituidos de nuevo por un silencio total. A continuación, fue el sheriff el que me preguntó:

—¿Puede decirnos qué relación guarda la manta *alemana* con el gato de porcelana?

—La manta *alemana* —le contesté—, y puede realizar ahora mismo la verificación cruzando la calle y dirigiéndose al bazar, fue adquirida pocos días después de inaugurarse el curso por la misma persona a la que obsequiaran con el gato. Por supuesto que es una prenda de cama que ya no existe. Lo más probable es que fuera quemada en el incinerador de la residencia Mayflower, a pesar de que no se vinculara al atentado en cuanto desde el primer día se habló de una manta sioux o cherokee y no de un edredón germánico.

—Y ¿por quién fue adquirida? —me preguntó de nuevo el sheriff.

—Ya lo he dicho.

—Es necesario que lo precise, dando su nombre, así como también la nacionalidad del adquiriente del gato de porcelana en el burdel y las razones que impulsaron a la asesina a cometer los crímenes.

—*El amor*, los celos y, fundamentalmente, la locura. Si bien Gyorgy Skourtis no mantenía relaciones ni eróticas ni sentimentales con Ersi Sotiropoulou, aunque se estimara lo contrario, uniéndoles sólo el afecto, como compatriotas que son, Gyorgy en cambio solía frecuentar de noche, alternativamente, tres apartamentos, situados en el séptimo y en el segundo piso del Mayflower: los de Melania Schoech y Dorothy Johnson y el de una tercera, la única de sus tres *amantes* realmente enamorada de él y a la que los celos y el odio hacia sus rivales femeninos condujo a sus asesinatos; crímenes en los que colaborara directamente un cómplice, ya que sin él no hubiera sido posible llevarlos a cabo; el mismo que la obsequiara tres días antes del atentado contra Ersi sólo con el gato de porcelana adquirido en el burdel para que no le *maullara el amor*, ya que le era imposible regalarle también un *piano*, una *estera* y un *velador*, para que transformara su apartamento en el *pisito que puso Maple* situado en el número *trescientos cuarenta y ocho* de la calle *Corrientes*, de Buenos Aires.

Regina Zoffe y Narciso Arteleche fueron asaeteados por las duras miradas de todos los participantes del Programa que descubrieron tras mis palabras, pese a no haber pronunciado aún sus respectivos nombres, que la argentina era la asesina y el uruguayo su cómplice.

* * *

Tras haber caído sin conocimiento al suelo desde la silla donde se encontraba sentada, Regina Zoffe fue llevada al ambulatorio médico de Kalona y conducida más tarde, ya cadáver, al Mercy Hospital, de Iowa City, donde, tras la autopsia que se le practicara, se descubrió se había envenenado con una cápsula de cianuro.

A Narciso Arteleche, el sheriff, tras colocarle las esposas y verse obligado, revólver en mano, a defenderlo de los ataques de todos los participantes del Programa, que intentaban lincharlo, lo sacó del salón y lo empujó dentro del patrullero que aguardaba su salida en la explanada.

DOCUMENTACIÓN Y BIBLIOGRAFÍA

Dossier del I.W.P. (University of Iowa), Melvin Gingerich, Elmer y Dorothy Schwieder, A. Szpunberg, Rand Mc Nally Company, John Dos Pasos, Myer Kutz, Carlos Rojas, y otros autores en lengua española e inglesa.

Índice

NOVELAS GALARDONADAS CON EL PREMIO EDITORIAL PLANETA

1952. EN LA NOCHE NO HAY CAMINOS. *Juan José Mira*
1953. UNA CASA CON GOTERAS. *Santiago Lorén*
1954. PEQUEÑO TEATRO. *Ana María Matute*
1955. TRES PISADAS DE HOMBRE. *Antonio Prieto*
1956. EL DESCONOCIDO. *Carmen Kurtz*
1957. LA PAZ EMPIEZA NUNCA. *Emilio Romero*
1958. PASOS SIN HUELLAS. *F. Bermúdez de Castro*
1959. LA NOCHE. *Andrés Bosch*
1960. EL ATENTADO. *Tomás Salvador*
1961. LA MUJER DE OTRO. *Torcuato Luca de Tena*
1962. SE ENCIENDE Y SE APAGA UNA LUZ. *Ángel Vázquez*
1963. EL CACIQUE. *Luis Romero*
1964. LAS HOGUERAS. *Concha Alós*
1965. EQUIPAJE DE AMOR PARA LA TIERRA. *Rodrigo Rubio*
1966. A TIENTAS Y A CIEGAS. *Marta Portal Nicolás*
1967. LAS ÚLTIMAS BANDERAS. *Ángel María de Lera*
1968. CON LA NOCHE A CUESTAS. *Manuel Ferrand*
1969. EN LA VIDA DE IGNACIO MOREL. *Ramón J. Sender*
1970. LA CRUZ INVERTIDA. *Marcos Aguinis*
1971. CONDENADOS A VIVIR. *José María Gironella*
1972. LA CÁRCEL. *Jesús Zárate*
1973. AZAÑA. *Carlos Rojas*
1974. ICARIA, ICARIA... *Xavier Benguerel*
1975. LA GANGRENA. *Mercedes Salisachs*
1976. EN EL DÍA DE HOY. *Jesús Torbado*
1977. AUTOBIOGRAFÍA DE FEDERICO SÁNCHEZ. *Jorge Semprún*
1978. LA MUCHACHA DE LAS BRAGAS DE ORO. *Juan Marsé*
1979. LOS MARES DEL SUR. *Manuel Vázquez Montalbán*
1980. VOLAVÉRUNT. *Antonio Larreta*
1981. Y DIOS EN LA ÚLTIMA PLAYA. *Cristóbal Zaragoza*
1982. JAQUE A LA DAMA. *Jesús Fernández Santos*
1983. LA GUERRA DEL GENERAL ESCOBAR. *José Luis Olaizola*